PSYCHIATRIE, RECHERCHE ET INTERVENTION
EN SANTÉ MENTALE DE L'ENFANT

P.R.I.S.M.E.

APPROCHES COMMUNAUTAIRES

Les temps changent... les pratiques aussi

Volume 5, no 1
Hiver 1995

P.R.I.S.M.E. hiver 1995, vol.5, no 1

Éditorial

Franchir le pas

Enfant, j'habitais au coin d'une rue très passante qu'il m'était strictement interdit de traverser. Je voyais pourtant que des enfants s'amusaient sur le trottoir de l'autre côté de cette «*dangereuse*» rue, alors que, seule dans ma cour, je m'ennuyais bien un peu. Comment faire pour rencontrer ces enfants? L'idée qui m'était venue - elle en vaut bien d'autres...- : les attirer avec les fameux bonbons de ma mère! Je leur en avais donc offert, et c'est ainsi qu'ils ont traversé la rue et qu'on a fait connaissance autour de friandises et de jouets échangés. Avec le temps, nous sommes devenus une joyeuse bande d'amis.

Curieusement, c'est cette image qui m'est revenue, marquée des saveurs tenaces et si particulières de l'enfance, en cherchant à justifier le thème de ce dossier. Mais oui, pourquoi un numéro entier de P.R.I.S.M.E. sur la vie et l'action communautaire?

Discours inutiles, direz-vous. Personne ne met plus en doute la réalité et la nécessité de l'action, l'importance même des enjeux soutenus par tant de travailleurs anonymes auprès de populations, bien souvent des gens de leur propre quartier. Pour s'en convaincre, on n'a qu'à consulter les derniers rapports gouvernementaux, dont le célèbre rapport Bouchard, qui

appellent ces initiatives, ce type de regard d'un milieu sur lui-même qui traduit sa vitalité, sa volonté de changement. On peut bien aussi évoquer le fait récent de la nomination de Mme Lisette Lapointe (Mme Jacques Parizeau) comme conseillère en action communautaire auprès du Premier Ministre. On trouve pourtant, dans la même foulée, - s'agit-il d'une fausse note, d'une erreur de parcours? - l'annonce de compressions budgétaires dans le domaine de la santé et des services sociaux. A moins qu'il ne soit question de redistribution...

Mais revenons à l'anecdote du début. Quel est le lien, et surtout quel est ce danger, ressenti plutôt que nommé, qui entraîne à rester à distance? Et si cet interdit, cette rue si «dangereuse» à traverser, séparait des milieux... le milieu institutionnel du milieu communautaire?

Pour mieux approcher la question, prenons le cas d'une jeune mère célibataire vivant avec son bébé dans un contexte socio-économique dit «défavorisé». Dans la clinique où elle a dû prendre rendez-vous, le médecin va lui remettre une prescription en insistant que son nourrisson de 18 mois doit avoir une analyse de sang pour éliminer un problème d'anémie probablement secondaire à une malnutrition. Aussi, il encouragera la mère à chercher une garderie (subventionnée...) pour l'enfant afin de stimuler son développement. Tous conseils avisés et pleinement justifiés.

Mais les choses ne s'arrêtent pas là et, ai-je envie de dire, heureusement! Avant de rentrer chez elle, cette jeune mère s'est décidée de faire une autre visite: une adresse, une maison l'attend où elle peut arriver à son heure, s'asseoir et en profiter pour échanger, simplement «jaser» autour de «chips», de «Coke» ou d'un café. Elle y trouve aussi une halte garderie pour se décharger un peu les bras. Refaire le plein.

Le contraste entre les deux pratiques est, avouons-le, frappant. Peut-être met-il à découvert ici une partie du problème: celui de la réalité menaçante des différences! En effet, ces pratiques qui sont pourtant complé-

mentaires et interdépendantes - d'autant qu'elles sont ouvertes aux mêmes personnes, - évoluent encore dans des lieux tenus trop éloignés, peut-être pour masquer l'impuissance qui se vit, de part et d'autre, à bien des moments...

Se reconnaître de loin, c'est important, mais se côtoyer et partager ses expériences avec d'autres, c'est le pas que nous avons voulu franchir en offrant un espace de parole aux travailleuses et travailleurs du communautaire qui sont, faut-il le souligner, combien absents des tribunes scientifiques. A côté d'eux et tout à la fois, - décloisonnement oblige! - d'autres auteurs viennent témoigner de l'approche et dire comment ils l'ont intégrée dans leurs recherches et leurs pratiques.

L'invitation est lancée, à chacun de faire le pas, traverser...

Geneviève Diorio

Ce dossier a été coordonné par mesdames Geneviève Diorio et Ginette Lamarre.

Geneviève DIORIO a pratiqué la pédiatrie au Centre de développement et dans le Programme de pédiatrie socio-juridique de l'Hôpital Sainte-Justine. Puis, elle a orienté sa carrière de pédiatre vers la santé communautaire tout en conservant quelques activités cliniques au CLSC La Petite Patrie. Présentement, elle est médecin-conseil à la Direction de la Santé Publique de la Montérégie au sein d'une équipe Famille-Enfance.

Ginette LAMARRE, détient un doctorat en psychologie du développement de l'enfant. Depuis plusieurs années, elle s'intéresse aux problématiques psychosociales de l'enfant et de la famille dans une optique de prévention. Présentement, elle travaille dans cette perspective à la Direction de la Santé Publique de la Montérégie au sein de l'équipe Famille-Enfance de même qu'à titre de professeure associée au Laboratoire d'étude du nourrisson de l'UQAM.

P.R.I.S.M.E. hiver 1995, vol. 5, no 1

Sommaire

APPROCHES COMMUNAUTAIRES
Les temps changent, les pratiques aussi!
Responsables de rédaction: Geneviève Diorio et Ginette Lamarre

P.R.I.S.M.E. hiver 1995, vol. 5, no 1

L'ENTRAIDE COMMUNAUTAIRE
L'expérience du quartier La Petite Patrie

Marie-Johanne NADEAU
et
Jocelyne MORETTI

Marie-Johanne NADEAU est conseillère à la programmation du CLSC La Petite Patrie. Elle oeuvre dans le milieu communautaire depuis 1978 et a aidé à la mise sur pied d'une vingtaine d'organismes communautaires dans le quartier La Petite Patrie. Madame Nadeau est détentrice d'un baccalauréat en communication et poursuit des études de 2e cycle en administration publique.

En ces années, où les rapports d'experts et les orientations gouvernementales visent à redonner tout son sens au mot *prévention*, à valoriser la prise en charge par le milieu et les interventions professionnelles en concertation avec les organismes communautaires, le chemin parcouru, depuis 1985, dans le quartier La Petite Patrie constitue une bonne illustration de la rentabilité de cette avenue où le citoyen joue un rôle clé.

L'expérience de La Petite Patrie, au plan de la prise en charge par le milieu, est riche d'enseignement. En moins de dix ans, ce quartier, jadis sans nom et sans identité, est sorti de l'anonymat. Ses citoyens et citoyennes, en dépit de conditions socio-économiques très précaires, ont réussi à mettre sur pied une vingtaine d'organismes communautaires. Nageant à contre-courant face au vent d'individualisme et de morosité qui sévit en cette période de récession, les gens de La Petite Patrie ont choisi de se serrer les coudes. Sans trop s'en rendre compte, c'est une véritable stratégie de quartier qui s'est mise en branle, sous le signe de la solidarité et de l'entraide. À l'instar de plusieurs autres communautés, les gens de La Petite Patrie sont du nombre des précurseurs à la politique de santé et du bien-être[1]. Partageant les convictions de cet énoncé politique, ils ont misé sur le dynamisme de leur milieu de vie comme premier levier pour améliorer leur santé et leur bien-être.

Dans cet article, à l'aide du parcours de trois organismes voués à la famille, soit la *Maisonnette des parents*, le *Groupe d'Entraide Mater-*

Partant des expériences d'entraide vécues au cours des dix dernières années dans le quartier montréalais de La Petite Patrie, les auteures font état du vaste mouvement de concertation dans ce quartier. Elles exposent les différentes étapes dans la création de trois organismes communautaires, Le Groupe d'Entraide Maternelle (GEM), La Piaule et La Maisonnette des Parents, et le rôle joué par les aidants naturels en association avec d'autres acteurs des milieux privés et publics, communautaires, scolaires et commerciaux. Elles insistent sur les objectifs poursuivis dans chaque cas, en montrant l'apport nécessaire de ces initiatives, et elles soulignent enfin les besoins de ces groupes et les difficultés économiques qu'ils rencontrent pour soutenir leurs efforts et leur travail dans le milieu.

Jocelyne MORETTI est agente d'information et organisatrice communautaire au CLSC La Petite Patrie. Depuis deux ans, elle a travaillé au développement d'un réseau de communication entre les organismes du quartier et à la consolidation de plusieurs projets collectifs. Enseignante de formation, elle possède aussi une expérience comme intervenante communautaire dans le domaine de la santé mentale.

nelle et *La Piaule*, nous verrons comment, au fil des ans, des citoyens sont passés du statut de clients à celui d'aidants naturels, puis à celui de leaders dans la communauté. Nous verrons aussi qu'à partir d'ambitions et de ressources très modestes, un milieu de vie peut prendre forme et devenir le meilleur antidote qui soit contre l'isolement des familles et un fortifiant incroyable pour toute une communauté.

Dans le quartier La Petite Patrie, la présence de plusieurs groupes communautaires constitue, aujourd'hui, un complément essentiel à ce qui était autrefois le support de la famille élargie. Selon la sensibilité des clientèles rejointes, des milieux de vie ont pris racine. Des parents y ont trouvé une place pour se changer les idées, pour prendre du recul sur leur rôle de parent et pour s'entraider. Des enfants et des adolescents se voient offrir de nouvelles possibilités d'apprentissage et de valorisation. D'une initiative à une autre, un important mouvement de concertation locale a pris forme autour de la lutte contre l'appauvrissement. Plus d'une centaine d'acteurs de toutes les sphères de la vie locale sont désormais bien au fait des besoins de la communauté. Dans cet élan de solidarité peu commun, le mot prévention prend une forme bien tangible. S'inscrivant dans la foulée des stratégies d'amélioration de la santé et du bien-être, l'expérience d'entraide qui se vit dans le quartier La Petite Patrie mise d'abord et avant tout sur le potentiel des personnes et de la communauté. Elle illustre, de manière éloquente, que *«le rêve est le moteur du développement personnel et social»* [2].

Tout commence par un rêve

Pour les citoyens, la prise en charge par le milieu, ça veut souvent dire la concrétisation d'une idée ou d'un rêve. Il a suffi, en 1986, que quelques femmes se rencontrent et sympathisent, lors de cours prénataux au CLSC, pour que leur goût de se revoir et d'échanger donne naissance au *Groupe d'entraide maternelle* de La Petite Patrie (le GEM), en 1988. Bien sûr, ça n'a pas été si facile, mais c'est, au départ, un rêve tout simple, celui d'organiser une prochaine réunion dans une cuisine, qui a fait prendre conscience à ces nouvelles mères qu'ensemble, elles pourraient répondre à une bonne partie de leurs besoins. L'échange de trucs concernant les soins aux nouveau-nés, les jasettes qui remontent le moral, les discussions autour de préoccupations de toutes sortes prennent une importance insoupçonnée. À tel point que la cuisine devient trop petite pour ces femmes qui découvrent qu'elles ont beaucoup à s'apporter mutuellement.

Le deuxième coup d'envoi sera donné par un groupe de parents de l'école primaire St-Jean-de-la-Croix. Réunis dans le but d'identifier les principaux besoins de l'école et de la paroisse environnante, ils se mettent à rêver tout haut. Avoir une place où, comme parents, ils pourraient se ressourcer, se faire des amis, trouver de l'appui quand ils ne sauront plus quoi faire pour garder le contact avec leurs jeunes. Un autre rêve venait de prendre forme, celui de la *Maisonnette des parents*.

L'histoire de *La Piaule*, c'est aussi le résultat des préoccupations des parents en regard de l'épanouissement et de la sécurité des enfants. Vers 9 ans déjà, les besoins d'encadrement et de stimulation des jeunes sont différents. Les parents ne veulent pas voir les jeunes flâner dans les rues et les arcades. Or, le véritable problème est qu'il n'y a pas de place pour que les enfants puissent jouer, et pour que les adolescents puissent se réunir! Alors, des parents dont Raymond Yelle, alors très actif au niveau du Comité d'école et des loisirs St-Jean-de-la-Croix, font le pari qu'en offrant aux jeunes un espace bien à eux, ils trouveront bien comment l'utiliser intelligemment. Ce projet d'un local pour les 13-17 ans, ils l'ont partagé avec les principaux intéressés et les jeunes ont imaginé le projet de «*La Piaule*» et se sont impliqués dans sa réalisation.

À chacune des étapes de la vie des familles, vient donc s'ajouter une ressource collective et sociale répondant aux besoins de support et de développement, tant des adultes que des enfants. La communauté est de plus en plus sensible aux besoins de ses membres. Elle est aussi plus alerte que jamais face aux problèmes d'isolement social, de violence familiale, de santé mentale et physique. L'expression «*prises en charge par le milieu*» prend alors tout son sens. Pour se donner les moyens de passer à l'action et d'agir sur les causes plutôt que sur les conséquences, les citoyens ont besoin qu'on fasse confiance en leur lecture des besoins et des solutions. Ils ont aussi besoin d'appuis solides concrets et à court terme. Pour éviter qu'un besoin non comblé ne devienne un problème persistant, il faut agir vite et adéquatement. Or, le temps et les ressources manquent cruellement dans ce quartier de Montréal où quatre personnes sur dix vivent sous le seuil de la pauvreté [3].

Le passage à la réalité

Tout passage du rêve à la réalité demande de la ténacité et de l'énergie. La mise sur pied d'une ressource communautaire n'échappe pas à cette règle. Même si, de prime abord, ces trois rêves n'ont rien en commun avec les objectifs sophistiqués utilisés dans le réseau institutionnel pour planifier les interventions auprès de clientèles à risque, c'est pourtant bien de cela dont il s'agit. Paradoxalement, ce sont souvent ces choses toutes simples qui sont les plus difficiles à concrétiser.

Le premier mur à franchir consiste à se faire suffisamment confiance pour passer à l'action. Face à eux-mêmes et vis-à-vis des professionnels du milieu scolaire, municipal, de la santé et des services sociaux, les initiateurs de projets doivent parfois réussir à sortir du rôle de client passif pour passer à celui de citoyen à part entière. Dans La Petite Patrie, c'est l'esprit d'initiative, la créativité, le sens pratique et l'engagement social d'individus considérés jusque-là comme des personnes bien ordinaires, qui ont fait contrepoids aux préjugés habituels.

S'impliquer, c'est aussi apprendre

Pour s'impliquer, quelquefois, il faut apprendre. Pour Raymond Yelle, un des artisans de La Piaule, il est clair que l'engagement social est source d'apprentissage et de développement personnel. *«Il s'agissait alors d'accepter d'être les promoteurs du projet et ça impliquait d'apprendre beaucoup de choses, dont la gestion budgétaire, les parts de l'employeur, les paies, le travail d'équipe, l'encadrement des jeunes, les négociations avec d'autres organismes de jeunes, et surtout, une multitude de démarches pour se trouver un local. J'ai vécu tout ça avec les parents du coin. Aujourd'hui, je veux que mes enfants soient eux aussi capables de se mêler à tous les jeunes et se sortir de situations à problèmes.»*

Les fondatrices du GEM, dont Louise Ouimet et Diane Labrie, savent aussi à quel point la confiance en soi est une denrée qui se cultive. Au début, la plupart des jeunes mamans étaient sans expérience et souvent débordées par les responsabilités familiales que plusieurs assumaient seules, dans un climat de grande insécurité financière. Pour sortir de leur cuisine, il leur a fallu passer de l'improvisation à l'organisation. On veut se rencontrer, mais pour faire quoi au juste? Au moyen d'un questionnaire construit avec l'infirmière du CLSC, les bénévoles de la première heure recueillent la liste des besoins. On a besoin d'aide surtout si les enfants ont moins d'un an. Les parents se sentent isolés avec leurs nouveau-nés, ils cherchent des activités et de l'information en matières de santé et d'éducation. Les mamans veulent aussi regagner leur ligne et avoir un après-midi de congé de temps en temps.

À partir de cette lecture plus précise des besoins, s'amorce une démarche d'apprentissage personnelle où les points forts de chacune sont mis à contribution. La force du groupe a un effet énergisant. Avec la mise sur pied officielle du GEM, des femmes ont saisi l'opportunité de faire valoir tout leur potentiel et de se découvrir des talents d'animatrice, d'administratrice, de puéricultrice ou d'organisatrice. À travers cette expérience, elles ont vaincu leur isolement et acquis plus de confiance en elles-mêmes. Ensemble, elles ont concrétisé leur rêve, révélant du même coup leur capacité d'initiatives et leur grand sens des responsabilités. Mine de rien, pour plusieurs, il s'agissait d'une belle victoire personnelle. Comme beaucoup de femmes, les deux années entourant la grossesse et l'arrivée du nouveau-né n'ont pas été faciles à vivre. Durant cette période déstabilisante au niveau de la santé, de la vie de couple et de l'organisation familiale, elles se sont senties moins vulnérables, mieux outillées pour s'adapter à leur nouvelle vie comme parents, grâce au support du groupe. Durant cette période reconnue comme un point tournant au niveau des relations parents-enfant, elles ont pu compter sur l'expérience d'autres mères et s'offrir quelques moments de répit en agréable compagnie.

Des appuis qui font toute la différence

Sans l'appui du milieu, les projets de La Petite Patrie, aussi intéressants soient-ils, n'auraient pas pu vivre. Aujourd'hui, Soeur Madeleine Gagnon qui est l'instigatrice de la *Maisonnette*, insiste pour dire combien il est important de bien s'entourer et de prendre le temps d'établir ses contacts. Concevoir un projet, c'est une chose; le faire vivre et lui donner une âme, c'en est une autre! Par où commencer quand on part à zéro, sans un sou et sans local?

La stratégie de la *Maisonnette des parents* a été celle de l'ouverture au milieu. On cherche autour, les membres diffusent le projet à toutes les personnes qu'ils soupçonnent être en mesure de leur donner un coup de pouce. C'est en croisant Soeur Madeleine que le directeur de la Saint-Vincent-de-Paul s'informe de l'évolution de la Maisonnette. Comment peut-il aider? «*C'est bien simple, ça nous prend un local...*». En acceptant d'héberger la Maisonnette et d'assumer le coût du loyer, la Saint-Vincent-de-Paul de la paroisse St-Jean-de-la-Croix venait de permettre à un autre groupe de parents de passer à l'action.

Dès que le projet est énoncé, les parents mettent leurs services, leur temps et leur créativité au service de la Maisonnette. On contribue au grand ménage des locaux: lavage, peinture, etc.. On assiste à des rencontres hebdomadaires avec des intervenantes du CLSC, afin de mieux comprendre les étapes de mise sur pied et de fonctionnement de l'organisme à construire. Et cela, sans compter les activités de levée de fonds. Marie-Josée Fish et Réjeanne Bertrand, une mère de famille et une grand-maman, ont mis, avec plusieurs autres personnes impliquées, les bouchées doubles à la Maisonnette afin que le projet aboutisse.

Progressivement, le soutien financier des Soeurs de Ste-Croix, l'appui du CLSC La Petite Patrie, les collaborations du Centre de ressource en éducation populaire de la CECM et les activités d'autofinancement, permettront à la Maisonnette de prendre un véritable envol. Fait assez exceptionnel, tout le fonctionnement de l'organisme reposera entièrement sur le bénévolat des parents pendant les premières années. On s'organise avec un budget de 15 000$, grâce aux partenaires du milieu qui s'étendent de l'école primaire à la paroisse, en passant par les commerçants locaux.

Pour Soeur Madeleine, c'est bien clair: *«Pour obtenir des appuis, il faut être crédible»*. La popularité d'une ressource communautaire est un critère qui ne peut mentir. Pour vivre, une ressource communautaire va continuellement chercher chez ses membres la rétro-action qui la pousse à s'améliorer. *«La raison d'être de notre organisme, ce sont nos clients. S'ils s'adressent à la Maisonnette et s'ils y reviennent, c'est parce que l'on répond à leurs besoins. Nos portes sont ouvertes, ils sont libres de venir quand ça leur plaît. Ceux et celles qui décident de s'impliquer, nous donnent une preuve bien tangible de leur attachement et de leur intérêt. À la Maisonnette, donner ne va pas en sens unique. Tout le monde a quelque chose à apporter et à retirer.»*

Un bon chapitre de l'histoire du GEM et celle de La Piaule doit aussi être consacré à l'obtention d'appuis de toutes sortes. Pour bâtir et faire vivre un organisme, il faut une sécurité financière de base. La reconnaissance du travail communautaire par des bailleurs de fonds gouvernementaux ou privés est une tâche ardue. C'est à ce niveau que les collaborations entre les services publics et les ressources communautaires doivent être reconnues et valorisées. Pour le GEM, cette reconnaissance est passée par l'obtention d'un budget spécial visant à développer un service de marrainage pour les parents de nouveau-nés, en collaboration avec le CLSC. Pour La Piaule, elle s'est concrétisée lorsque la Ville de Montréal a décidé de leur confier la responsabilité des projets Jeunesse 2000 visant à développer des loisirs pour les jeunes du secteur ouest de La Petite Patrie. Malheureusement, la majorité des sollicitations sont à refaire annuellement.

Une des étapes déterminantes dans la vie d'un organisme communautaire voué à la famille, consiste à être reconnu pour sa contribution au système de la santé et des services sociaux. Malgré l'engagement pris au moment de la réforme et qui est réaffirmé dans la politique de santé et de bien-être, à l'effet *«d'augmenter les subventions aux organismes communautaires et de favoriser leur participation à la prise de décision et à la concertation au sein du réseau»*[4], il y a loin de la coupe aux lèvres. Ainsi, en 1994-95, faute de budget, la Régie régionale de la santé et des services sociaux s'est résolue à refuser les nouvelles demandes de soutien financier qui lui étaient adressées. Au nombre de celles-ci, on retrouvait des organismes, tels que la Maisonnette des parents, qui avaient pourtant à leur crédit plusieurs années de services auprès des familles démunies, et une réputation enviable en matière d'action bénévole. Paradoxalement, le travail réalisé par le milieu communautaire est pourtant bel et bien reconnu par le Ministère parmi les services les plus efficaces et les moins coûteux de notre système[5].

Faute d'un financement suffisant, il n'en demeure pas moins que l'avenir des ressources communautaires est continuellement compromis. Les dix dernières années ont été particulièrement éprouvantes. Des organismes ont dû fermer leurs portes ou réduire considérablement des services. Si l'esprit d'initiative et le sens d'entreprise sont les déclencheurs de projets communautaires, seul le soutien financier stable et adéquat peut assurer une véritable viabilité des initiatives de prise en charge.

L'émergence d'une pratique différente

Si les ressources communautaires ont besoin de soutien financier et d'appuis de toutes sortes, leur relation n'en est pas une de dépendance. Bien au contraire, leur présence dans un milieu s'inscrit dans une optique de complémentarité. Que ce soit en supportant un parent en difficulté, en l'encourageant, au besoin, à s'adresser au CLSC ou à consulter un médecin du quartier, l'organisme communautaire joue un rôle préventif important. Il en est de même lorsqu'en allant au-devant des adolescents, il réussit à dépister des problèmes et à aider les jeunes à les surmonter avant que ceux-ci ne dégénèrent. La complémentarité du milieu communautaire avec le réseau institutionnel se vit aussi lorsque, par exemple, le CLSC et un organisme communautaire unissent leurs efforts pour venir en aide à une famille.

Le champ d'expertise du milieu communautaire est très large. Il est basé sur la relation d'aide, l'information, l'éducation populaire, des services de répit, des activités de ressourcement et de socialisation ainsi que sur la défense des droits. L'arrimage des différentes approches préconisées dans les milieux respectifs n'est pas toujours facile. Beaucoup de temps et d'énergie doivent être investis, de part et d'autre, pour définir les objectifs d'intervention, les approches à privilégier ainsi que les modes de travail conjoint. Les tentatives faites en ce sens dans La Petite Patrie n'ont cependant pas tardé à porter fruit. Pour la clientèle, il en résulte des services davantage en continuité les uns avec les autres. Une plus grande cohérence se dégage aussi dans l'action. Pour les intervenants et les intervenantes, quel que soit leur port d'attache, des changements dans les mentalités et dans les approches s'opèrent aussi. Au fil des rencontres, on s'intéresse au travail fait par l'autre milieu, on apprend à estimer les approches qu'il a développées et à respecter les limites et les contraintes qui lui sont inhérentes. Une démarche de reconnaissance mutuelle entre partenaires d'un même quartier, comme nous la vivons dans La Petite Patrie, ne peut se faire sans un profond respect de l'autonomie de chacun et le désir partagé de consolider l'ensemble des ressources du milieu. Pour évoluer, une telle relation de partenariat a eu besoin de liens. Quotidiennement, c'est entre le personnel et les bénévoles des différents milieux que les ententes de services et les projets se concrétisent. Les directions des organismes communautaires et des services publics doivent aussi apporter leur support aux initiatives conjointes et au développement de liens de confiance.

Au fur et à mesure que se tissent des liens de complémentarité entre les services publics et les services communautaires, une nouvelle pratique se dessine. Des tables de concertation, réunissant des interlocuteurs de toutes les sphères de la vie de quartier, ont vu le jour dans le but d'intensifier les échanges d'informations et les collaborations. Des ententes particulières permettent désormais au CLSC, à des écoles, au service de police et à des organismes communautaires d'assurer à la population un service plus global. Les références entre ressources deviennent aussi plus efficaces.

Des milieux de vie essentiels

L'évolution du GEM, de la Maisonnette et de La Piaule témoignent de l'apport de telles ressources dans une communauté donnée. À travers un ensemble d'activités et de services et au gré d'une approche sous le signe de la simplicité et de l'entraide, ils ont contribué à la création des milieux de vie et à insuffler un dynamisme nouveau à tout un quartier.

Pour le GEM, quelle progression! Fort de ses cent vingt membres, l'organisme offre un programme complet d'activités et les moyens dont il dispose pour répondre aux besoins des mères font preuve de dynamisme: café-rencontres thématiques, matins-déjeuners du GEM, cliniques info-santé, matinées relations mères-enfants, programme «Y a personne de parfait», jeux et halte-garderie et, depuis 1993, création d'un nouveau service: le réseau de marraines sous le nom de «La Petite Patrie en visite», une formule de marrainage de nouveaux parents pour les aider à s'adapter à leur nouveau rôle. L'organisme a aussi développé tout un volet d'activités visant à stimuler le développement des nouveau-nés et des jeunes enfants.

La Maisonnette a elle aussi le vent dans les voiles. Avec ses 350 membres, elle a reçu en 1993, après cinq ans d'existence, le Prix de la Famille pour son implication avec et pour les parents. La participation de la

Maisonnette des parents à la vie du quartier est constante. Ce qu'ils vivent, apprennent et construisent ensemble, les membres de la Maisonnette sont heureux d'en faire profiter les autres: ouverture de cuisines collectives, participation aux regroupements contre la pauvreté du quartier, production de documents mettant en valeur les réalisations de parents afin d'améliorer leurs relations avec leurs adolescents et leur vie de famille. Mais plus important, un nouveau rêve anime actuellement les membres de la Maisonnette: la mise sur pied de la Place des enfants, un point rencontre en dehors des heures de classes pour les 5-12 ans. L'histoire déjà se répète...

Ça bouge aussi du côté de La Piaule. La prise de possession de leurs nouveaux locaux au sous-sol de l'église St-Jean-de-la-Croix, en 1994, marque une grande étape. Le rêve d'une ressource pour les 12-18 ans est devenu une réalité pour l'ouest de La Petite Patrie. Les jeunes ont enfin leur centre. On les sent plus stimulés et motivés à exprimer des besoins et à trouver des solutions. Les jeunes ont leur mot à dire sur la programmation. Ils contribuent à l'organisation des activités, à la recherche de financement et à l'entretien des lieux. Ils peuvent compter sur des animateurs compétents. Une Coop jeunesse de services se greffe à la programmation de l'organisme, une dimension qu'il ne faut pas négliger pour des adolescents en quête d'autonomie. La prochaine étape en vue consiste à mieux équiper le centre et à y assurer un climat sain et stimulant pour les jeunes.

Conclusion

Pour le GEM, la Maisonnette des parents ou la Piaule, le besoin de se regrouper pour s'entraider, pour améliorer la qualité de sa vie et de celle de sa famille a suscité générosité, créativité et ténacité. Chacune des idées est née et fut rapidement partagée par d'autres individus, mais c'est au fil du temps que se sont gagnés les appuis nécessaires à la création de ressources communautaires dignes de ce nom.

L'entraide a permis la consolidation des projets, mais la logique et la cohérence des actions ont suivi un rythme, celui des membres de chacune des structures. Dynamiques, engagés dans le milieu, persévérants, ces regroupements n'ont pu se développer qu'à une condition: être réellement ressentis comme un besoin par leurs membres.

Aux yeux des gens de La Petite Patrie, le seul fait de se sentir appuyés par leur milieu est déjà source de réconfort. Des parents se sentent, en retour, mieux dans leur peau, donc plus disponibles pour leurs enfants, plus patients, plus présents surtout. Des jeunes reprennent goût à la vie parce qu'on leur a fait confiance et donné des moyens de réaliser des projets à leur goût et d'acquérir de saines habitudes de vie. De jeunes enfants ont, dès leurs premières années, la possibilité d'être stimulés dans leur développe- ment et de s'amuser entourés d'amis. Notre quartier, enrichi de ses groupes d'entraide, devient de plus en plus un véritable lieu de vie: nos familles se sentent entourées, chacun de ses membres y trouve véritablement sa place.

À travers la petite histoire de ces quelques projets communautaires, c'est toute notre perception du client qui est appelée à évoluer. En effet, les citoyennes et citoyens de La Petite Patrie ont fait la preuve qu'avec un peu de support de la part de la communauté et, en particulier, du personnel du domaine de la santé et des services sociaux, ils étaient très bien placés pour identifier leurs véritables besoins et pour mettre en place des services com- plémentaires à ceux du réseau public.

Cette expérience nous amène à réaliser à quel point un geste d'ap- pui peut donner des ailes à une communauté et permettre à tout un potentiel humain de se révéler. À travers ce soutien aux initiatives du milieu, c'est une nouvelle pratique qui émerge, fruit d'une mise en commun de l'expertise du milieu communautaire et de celle du milieu institutionnel. Pour la clientèle, cela se traduit par une plus grande continuité de services, une approche plus personnalisée, plus proche de la réalité quotidienne et surtout plus valorisan- te. Le témoignage du quartier La Petite Patrie s'ajoute à la voix de tous ceux et celles qui, de plus en plus nombreux, sont convaincus que la santé, les conditions de vie et l'environnement social sont indissociables. Aux problè- mes épineux que pose la réduction des problèmes de santé et des problèmes sociaux au sein de notre société, il propose une solution efficace, peu coû- teuse et qui a le mérite de miser, avant tout, sur l'être humain comme per- sonne et comme citoyen à part entière.❖

Numerous experiences of community support and mutual help have been developped in La Petite Patrie over the last ten years. While the creation of three organisms is reviewed as well as their specific objectives, the authors stress the importance of concertation and collaboration of various resources, private or public, in strenghtening these structures to ensure their role and viability.

Notes

1 Gouvernement du Québec, *La politique de la santé et du bien-être*, M.S.S.S., 1992, p. 11.
2 Concept développé par M. Camil Bouchard, président du groupe de travail pour les jeunes, auteur du rapport *"Un Québec fou de ses enfants"*, M.S.S.S., 1991.
3 Comité logement La Petite Patrie. *Portrait des citoyens et des citoyennes de La Petite Patrie*, Données du recensement de 1991, Montréal, 1994.
4 Gouvernement du Québec, *La politique de santé et du bien-être*, M.S.S.S., 1992.
5 Ibid.

P.R.I.S.M.E. hiver 1995, vol. 5, no 1

LES TEMPS CHANGENT... LES ENFANTS AUSSI!
Quand les conditions sociales influent sur la vie communautaire des enfants

Lucie FRÉCHETTE

Ph.D., psychologue, l'auteure est professeure en travail social à l'Université du Québec à Hull. Ses recherches, au Québec et en Amérique latine, l'ont amenée à développer des expertises en prévention et en intervention auprès de milieux défavorisés.

«*Les temps changent!*», disent les aînés, en ajoutant, «*On n'a plus les enfants qu'on avait!*» «*On n'arrive plus! Il y a menace de fermeture à l'usine par-dessus tout ça... Comment va-t-on faire pour s'en tirer?*», diront de leur côté les jeunes parents. «*Mon autre père m'attend dans ma deuxième maison en fin de semaine, je ne pourrai pas jouer avec toi dans la ruelle*», déclare la petite Marie à son ami Liang. Voici, en quelques phrases, esquissés une partie des changements sociaux qui modifient la vie communautaire des enfants d'aujourd'hui.

Lorsqu'on envisage la santé mentale des enfants dans le contexte de leur vie sociale, on fait la plupart du temps un lien entre le microcosme familial et la qualité de vie qu'il procure à ses membres. La place des enfants dans la vie communautaire dépasse toutefois la seule sphère d'influence de la famille. Si l'on se réfère à des cadres conceptuels qui tiennent compte de l'effet des facteurs sociaux dans le développement et la santé mentale des individus, il faut aller au-delà de la psychologie du développement, et poser la question suivante: quelle est la place des enfants, et devant les transformations sociales qu'a connues le milieu québécois au cours des dernières décennies, quel impact ces changements ont-ils sur eux?

Bien sûr, on pourrait aborder les rapports entre la santé mentale des enfants et les facteurs qui interviennent dans le processus de socialisation. Il y a là une matière intéressante et bien documentée par la psychologie. Plus rarement a-t-on cependant l'occasion de réfléchir sur le rôle des enfants en tant que participants qui influencent ou sont

L'auteure décrit l'impact que peuvent avoir dans la vie des enfants les transformations sociales qu'a connues le Québec au cours des dernières décennies. En se reportant aux modèles de Bronfenbrenner et d'Esbensen, elle montre en quoi des changements sociaux tels que l'appauvrissement, l'augmentation du chômage, les modifications des rapports de sexe, les nouvelles formes de vie familiale, et enfin, la détérioration du tissu social de grands centres urbains, ont une influence sur la santé mentale des enfants, et à travers le prisme de leur vie communautaire, de quelle façon ces changements peuvent compromettre leur développement.

influencés par la vie communautaire de leur milieu, non seulement au sens proximal mais au sens plus large, i.e. en fonction de l'évolution de la société québécoise.

Le texte qui suit n'est ni un rapport de recherche, ni une analyse des pratiques d'intervention. Il étudie plutôt un certain nombre de changements sociaux affectant la santé mentale des enfants à travers le prisme de leur vie communautaire. La perspective qui est la nôtre s'inspire du modèle écologique de Bronfenbrenner (1992), lequel envisage les enfants comme des personnes actives profitant d'un ensemble de réseaux d'influences qui contribuent à les enrichir ou à faire obstacle à leur développement et à la qualité de leur vie. Ce texte est destiné à nous rappeler que les enfants sont nos contemporains et sont engagés dans le même cycle de changement social que nous.

Vie communautaire et santé mentale: un éclairage social

Le modèle écologique de Bronfenbrenner (1992) ou encore le cadre de vie des enfants d'Esbensen (1995) nous paraissent intéressants pour discuter du rapport entre vie communautaire et santé mentale. Notre regard sera donc plus social que psychologique, du moins au point de départ de cette réflexion.

Le modèle écologique situe l'enfant au coeur d'un schéma où les sphères d'influence se trouvent illustrées par des cercles concentriques[1]. Au centre, le micro-système est celui de l'enfant engagé dans sa vie familiale et ses relations immédiates. Au second niveau, le mésosystème comprend les réseaux sociaux qui sont en relation directe avec l'enfant et sa famille, tels l'école ou la garderie. Intervient ensuite l'exosystème, où l'on voit des structures et des lieux de pouvoir qui, sans que l'enfant y joue un rôle, exercent une influence sur lui ou sur son entourage immédiat: le milieu de travail des parents, la commission scolaire, le conseil municipal en sont des éléments. Finalement, le cercle s'achève avec le macrosystème qui implique le contexte culturel, et le registre des valeurs et des idéologies dominantes dans la communauté au sens large où vivent l'enfant et sa famille.

LE MODÈLE ÉCOLOGIQUE DE BRONFENBRENNER

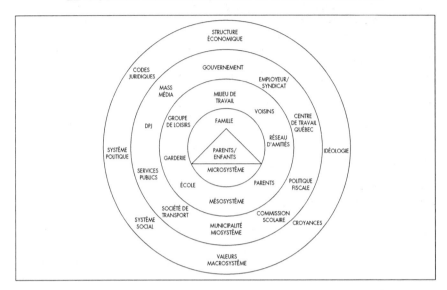

Le modèle d'Esbensen, plus synthétique, fait graviter autour de l'enfant trois grandes zones d'influence, à savoir la famille, les institutions sociales et la communauté en général. Il ajoute cinq points de repère pour l'étude du cadre de vie de l'enfant dans chacune de ces zones: les personnes, le territoire, le temps, le matériel et les lieux physiques. Son optique est d'abord, pourrait-on dire, spatiale posant la question: «*Comment vivent et se développent les enfants dans les contextes où ils se trouvent?*» Bronfenbrenner et les tenants du modèle écologique ont une vision plus large et plus complète de l'interaction sociale cependant qu'Esbensen offre des points de repère plus circonscrits, évitant des dédales qui font parfois perdre de vue les propositions d'interventions psychosociales qui pourraient être tentées auprès des enfants, des familles et des communautés locales immédiates.

Nous considérerons la situation des enfants dans leur milieu à partir de quatre volets illustrant certaines transformations de la société québécoise, soit l'appauvrissement, le chômage, les rapports entre les sexes, et l'urbanisation, qui peuvent affecter leur vie et leur santé mentale.

L'appauvrissement

On ne peut parler de santé mentale et de vie communautaire sans aborder le problème de la pauvreté qui touche maintenant fortement un grand nombre d'enfants. Il y a une vingtaine d'années, on dénonçait la pauvreté chez les personnes âgées. Les efforts se sont multipliés pour enrayer le phénomène. Politiques sociales, entraide et interventions sociales aidant, la bataille est aujourd'hui en bonne partie gagnée; le groupe des per-

LE CADRE DE VIE DES ENFANTS - MODÈLE D'ESBENSEN

sonnes âgées n'est plus la couche pauvre de la population québécoise. Mais voilà que l'on découvre avec consternation que, depuis une dizaine d'années, les conditions économiques se détériorent cette fois au détriment des enfants. En effet, pour la période allant de 1980 à 1991, le Conseil national du bien-être social du Canada rapporte que le taux de pauvreté est passé de 14.9% à 18.3% chez les enfants. De façon plus précise, 61.9% des enfants vivant avec leur mère seule connaissent la pauvreté, de même que 10.7% des enfants vivant avec leurs deux parents. Au Québec, 19.7% des familles sont pauvres, ce qui touche directement 322 000 enfants de moins de 18 ans.

Ce sont les familles jeunes comptant trois enfants ou plus et les familles à parent unique qui affichent les taux les plus élevés de pauvreté dont les conséquence se font sentir sur la qualité de vie des enfants (Langlois et Fortin, 1994; Bronfenbrenner, 1992). Le rapport du Groupe de travail pour les jeunes (1993) indique avec beaucoup d'à propos qu'il s'agit de nouvelles formes de pauvreté, nommant la pauvreté d'insertion des jeunes qui ne trouvent pas d'emploi, la pauvreté d'intermission chez les mis-à-pied, la pauvreté de séparation pour les cheffes de familles monoparentales, et enfin, la pauvreté d'immigration chez des populations sous-scolarisées de Néo-Québécois.

Au coeur de ce cycle de développement, la pauvreté vient brouiller les cartes. La pauvreté ou le niveau socio-économique défavorisé génèrent des phénomènes, tels un taux de mortalité infantile plus élevé, une incidence plus forte de certaines maladies, une scolarité plus basse et un taux plus élevé d'analphabétisme chez les parents, des difficultés d'apprentissage scolaire chez les enfants et l'intensification des mauvais traitements envers les enfants.

Les enfants sont donc particulièrement touchés par la pauvreté. Elle les fait parfois mourir en bas âge, les rend plus malades que les autres, ralentit leur acquisition des prérequis nécessaires aux apprentissages scolaires, crée un terrain plus propice à l'expression de la violence et accroît la proba-

21

bilité de difficultés d'adaptation. Le fait que la pauvreté génère des difficultés d'apprentissage chez les jeunes enfants n'est plus à prouver. De plus, la pauvreté de leur milieu atteint les enfants en profondeur et mine leur estime d'eux-mêmes lorsqu'ils prennent conscience qu'elle se lit dans le regard que les autres portent sur eux (Gaulejac, 1989). Question sociale, la pauvreté est aussi une question de degrés. Ercilia Palacio-Quintin (1990) a tenté d'aller plus avant dans l'étude des effets de l'intensité de la pauvreté sur le développement de l'enfant. Ses recherches quant aux effets de la pauvreté sur le développement cognitif des enfants lui permettent de conclure que le niveau socio-économique habituellement qualifié de *«défavorisé»* devrait distinguer les milieux de niveau socio-économique bas des milieux socio-économiques franchement défavorisés.

Le chômage et la précarité du travail

Chez les adultes, le lien entre la santé mentale et le travail a fait l'objet d'études, surtout depuis que le chômage s'étend à des portions importantes de la population. On aurait toutefois tort de croire que la question du travail ne concerne que les adultes. D'une part, le chômage et/ou la crainte du chômage vise non seulement le travailleur directement touché, mais encore l'ensemble de ses proches, sa famille et ses enfants. En effet, quelques chercheurs ont souligné la situation difficile des enfants en rapport avec le chômage de leurs parents (Madge, 1983; Liem et Rayman, 1982; Pauler et Lewko, 1984). De façon générale, les résultats des recherches indiquent, qu'en période économique difficile, les enfants nomment le chômage ou la perspective de la perte d'emploi comme des sources de préoccupations et de stress qui les affectent personnellement.

Le chômage a connu des changements avec les années. Sa durée moyenne est plus longue. On ne parle plus seulement de chômage chez les non-scolarisés mais encore dans des populations possédant leur secondaire ou leur cours collégial, et parfois aussi chez des universitaires. Il devient par conséquent plus difficile de transmettre le message aux enfants que l'éducation est la garantie de l'obtention d'un emploi permanent de leur choix. L'opinion populaire qui circule soutient plutôt l'inverse, et les jeunes enfants entendent trop souvent les adolescents soupirer: *«A quoi ça sert d'étudier, il n'y a pas de travail...»*. Et que dire, lorsque cette assertion est confirmée par le chômage de l'un ou l'autre des parents!

Le chômage atteint les parents dans leur estime d'eux-mêmes en tant que personne et comme parent. Il modifie le statut et l'identité personnels, la qualité de la vie familiale et affaiblit la résistance devant les irritants de la vie quotidienne. Le réseau social se trouve réduit et la menace de la pauvreté fait naître peu à peu un sentiment de honte qui risque de déteindre sur les enfants (Gaulejac, 1989). De plus, il est connu que l'isolement social et la pauvreté d'un milieu créent des conditions favorables à l'émergence de comportements de violence familiale et d'abus physique envers les enfants (Bouchard, 1993). Les enfants deviennent ainsi victimes de facteurs externes qui affectent leurs parents dans une partie de ce qui donne du sens à leur vie.

Par ailleurs, le rapport au travail chez les enfants dépasse la réalité de l'emploi des parents, puisqu'on parle maintenant du travail des enfants. En effet, plusieurs jeunes de plus de 12 ans occupent un emploi à temps partiel. Il ne s'agit pas ici de gardiennage à raison de quelques heures par semaine pour gagner un peu d'argent de poche, mais du fait de préadolescents et de jeunes adolescents qui entrent de plus en plus jeunes sur le marché du travail. Un reportage bien documenté de la revue L'Actualité (février 1991) rapportait que plus de 50% des étudiants âgés d'environ 14 ans d'écoles polyvalentes avaient un emploi qui les occupait en moyenne 21 heures par semaine.

Photographie, Claire Beaugrand Champagne.

Un avis du Conseil de la famille du Québec (1992) a fait état de diverses études démontrant que le pourcentage d'adolescents au travail oscille entre 40% et 60% dans plusieurs milieux scolaires. Le monde scolaire s'interroge sur le rapport au travail chez les jeunes, et ce qu'il représente comme facteur de risque d'échec et de décrochage scolaire. Les échecs scolaires à répétition et le décrochage sont fortement apparentés, et ils entraînent très vite bien des jeunes sur la voie de la marginalisation et de l'exclusion sociale. Certains s'en sortiront, d'autres non, et l'itinéraire chez ces derniers montre que leur santé mentale se détériore graduellement et perturbe la vie communautaire, aussi bien du côté des jeunes qui se sentent désormais exclus, que de la communauté qui voit ses jeunes lui échapper.

Les rapports entre les sexes et la vie familiale

La remise en question des rapports hommes-femmes s'est d'un côté manifestée dans la sphère publique (droit de vote, accès au travail, égalité de droits juridiques, etc.), et de l'autre, dans la sphère privée (partage des tâches, divorce, rapport aux enfants). Le mouvement des femmes a contribué à l'évolution de la place des femmes dans la société, ce qui ne s'est pas effectué sans des modifications de comportement dans le couple, la famille et la société en général. Ces changements ont une influence sur la qualité de vie des enfants. D'une part, les enfants sont eux aussi des personnes sexuées qui apprennent avec les événements et les années à adopter des rôles et des attitudes qu'ils intègrent comme étant ceux de leur sexe. D'autre part, les bouleversements dans les rapports de sexe et les changements dans la structure familiale exercent aussi une profonde influence sur la qualité de vie des enfants.

Les enfants du Québec sont moins cantonnés dans des rôles sexuels stéréotypés et rigides. Loin de nous, le bleu garçon et le rose fillette. On note une nette évolution en ce sens dans les rapports entre garçons et filles, et une baisse sensible de la discrimination. Des progrès ont été accomplis dans l'accessibilité aux études pour les filles, et de même, à propos de l'image des filles et des garçons transmise par la littérature enfantine et les mass média. Il y a encore place pour des progrès mais on peut néanmoins constater que la situation des filles d'aujourd'hui s'est significativement améliorée.

On aperçoit une ombre cependant au tableau. Avec la dénonciation plus ouverte de la violence et des abus commis envers les enfants, on a découvert que le phénomène est beaucoup plus répandu qu'on le croyait. La violence envers les femmes, les abus sexuels (dans le cas aussi de jeunes garçons, quoique dans une proportion moindre) sont des situations qui affectent nombre de jeunes filles et de fillettes. Les rapports entre les sexes se traduisant par de la violence et les abus sexuels envers les enfants sont une donnée de la sphère privée qui ne peut qu'aboutir dans la sphère publique lorsque le phénomène est répandu et sachant les conséquences néfastes entraînées sur des générations de fillettes.

Du côté des adultes, la recherche de nouveaux modes de relation égalitaire entre hommes et femmes s'est répercutée sur la vie familiale et, par conséquent, sur la qualité de vie des enfants. Les relations amoureuses et les relations parentales se sont transformées dans la société québécoise. D'une part, le modèle familial traditionnel de la famille nucléaire avec le père pourvoyeur et la mère ménagère-éducatrice, ne peut plus être considéré comme le seul modèle ayant pignon sur rue. En même temps que la transformation des rapports de sexe, le Québec a vécu la remise en question de la maternité et de la paternité. L'accessibilité et la sûreté grandissante des moyens contraceptifs ont contribué à des changements de comportements et de mentalités au sujet de la fécondité, de la maternité et des rôles féminins. Les enfants sont désormais plus souvent des aînés ou des cadets d'une famille de deux enfants, puisque rares sont ceux qui comptent des frères et soeurs (Marcil-Gratton, 1989).

Le Québec affiche par ailleurs un taux élevé de ruptures familiales et, en conséquence, les parents doivent redéfinir la fréquence et la qualité de leurs rapports avec leurs enfants. Environ un enfant sur trois expérimentera la rupture familiale et il est reconnu que les enfants souffrent de cette situation (Wallerstein, 1975, 1976; Bonkowski, 1984; Drapeau, 1993). La famille prend alors souvent la forme quotidienne d'une famille à parent unique ou monoparentale, qui est issue de plus en plus d'une rupture conjugale volontaire (Dandurand, 1994). Cette nouvelle famille est caractérisée par le jeune âge de la cheffe de famille et, conséquemment, par la présence de jeunes enfants. Elle révèle aussi la présence, hors du domicile, de pères majoritairement accessibles, quoique pas nécessairement en relation régulière avec leurs enfants. La monoparentalité n'est pas un gage de stabilité, et la majorité des parents séparés s'engagent dans une autre union qui s'avère souvent plus fragile que la précédente (Blais et Tessier, 1990).

La rupture et la reconstitution familiales entraînent chez les enfants plus vulnérables des problèmes de santé mentale parfois complexes. D'autres enfants verront leur fonctionnement perturbé, mais ils s'en tireront et seront moins blessés dans leur vie émotive et diminués dans leur image d'eux-mêmes. Les enfants de parents divorcés ne font plus exception et, en cela, ils ne constituent plus des objets de curiosité et ne sont plus marginalisés, comme c'était le cas auparavant. La communauté ne repose plus sur un seul modèle familial, mais l'exercice de la parentalité et la vie sociale des enfants n'en ont pas pour autant été simplifiés.

La spécialisation sociale de l'espace urbain

Le modèle d'Esbensen pose la question générale de la qualité de vie des enfants selon les contextes où ils se trouvent. Plus spatial, au-delà de la référence aux relations interpersonnelles, le modèle attire l'attention sur des dimensions de territorialité, de lieux physiques et de matériel à la disposition des enfants. Si l'on revient aux mutations observées dans la société québécoise, force nous est de considérer l'urbanisation comme l'un des facteurs qui a le plus modifié la qualité de vie des enfants.

L'urbanisation n'est pas arrivée seule mais souvent combinée aux facteurs précédemment cités de pauvreté, de chômage et de restructuration familiale. Les points de repère d'Esbensen sont ici révélateurs. A quel territoire les enfants ont-ils maintenant accès? Les enfants se retrouvent ou bien en banlieue aisée et disposent d'espaces résidentiels avec cours et terrains de jeux, ou bien dans des quartiers où l'espace est compté, en raison de la haute densité de leur population.

L'urbanisation génère de nouvelles conditions de vie communautaire pour les enfants (Garbarino et Plantz, 1980; Schoor, 1979). Les logements y sont souvent vétustes ou sans confort. Le logement social et les complexes d'habitations à loyer modique prennent souvent l'allure de «ghettos» de pauvreté ou de regroupement d'exclus où les enfants se débrouillent comme ils peuvent. L'isolement d'une jeune mère qui vit seule et le fait d'habiter au septième étage d'une HLM n'incitent pas celle-ci à sortir avec son bébé ou son jeune enfant. Les sociétés et promoteurs immobiliers n'ont pas songé à aménager des aires de jeu convenables pour les enfants qui ont besoin de la surveillance d'un adulte. Les enfants d'âge préscolaire vivant en HLM ont bien peu d'occasions d'être en contact avec la nature, de rencontrer d'autres enfants de leur âge et d'avoir accès à des installations de jeu adéquates. Pourtant, les enfants de cet âge sont fervents d'activités motrices et ils sont remplis de curiosité et de désir d'explorer leur univers. Le développement de l'attachement et de l'intimité n'est pas non plus facile quand on habite un logement exigu où l'on se retrouve à trois dans une petite chambre, où l'on entend les voisins se quereller, et où maman n'a pas d'autre choix que d'envoyer les enfants jouer dehors par temps maussade pour recevoir son ami de coeur.

Avec l'entrée à l'école, vers cinq ou six ans, la vie sociale des enfants élargit son rayon d'action. Les enfants de la ville n'ont maintenant accès qu'à la rue ou la ruelle dans le voisinage immédiat. L'aménagement d'aires de jeu ne semble pas avoir été une priorité des plans d'urbanisation au cours des dernières années en dépit de l'amélioration des équipements de terrains de jeu dans certaines municipalités du Québec. Les enfants d'âge scolaire s'approprient donc l'espace en s'éloignant du domicile... Que trouvent-ils dans nos centres-villes ou dans certains quartiers au tissu social en voie de dégradation? Des campagnes ont été orchestrées dans des quartiers de Montréal pour nettoyer les parcs d'où les jeunes enfants ramenaient des seringues usagées et des condoms. D'autres secteurs de la ville mettent les enfants en contact avec les exclus (drogués, itinérants de tous âges, réseaux de prostitution, etc.) que notre société ne rejoint qu'avec peine ou très peu.

Les enfants qui évoluent dans ces milieux subissent les conséquences de la détérioration du tissu social (Garbarino et Sherman, 1980). Ils sont les jeunes perdants d'une communauté qui aurait plutôt dû les initier à une citoyenneté stimulante. Croire en des lendemains heureux est difficile quand on vit dans une famille pauvre, à parent unique, au troisième étage d'une HLM près d'un parc où, le jour, se battent des revendeurs de drogues et, la nuit, dorment quelques sans-abri aux prises avec l'alcoolisme et d'autres toxicomanies. Pour certains jeunes, le manque de stimulations appropriées à leur âge les conduira à faire l'expérience précoce du désoeuvrement et à être initiés au vandalisme.

Avec l'accroissement de l'immigration, les résidents urbains ont dû apprendre à partager leur territoire avec des gens différents (Bibeau et al., 1992; Van Schendel, 1987; Meintel, 1992). Habitudes alimentaires, habillement, langues, valeurs, expressions de l'autorité, rapports entre les sexes, pratiques religieuses, aménagement des espaces familiaux, voilà autant de différences qui sont le fait de cultures et de provenances ethniques très diversifiées. Le quartier change de visage parfois brusquement, et de même, les réactions suivent rapidement. Les enfants peuvent vivre ce changement comme un enrichissement de la vie communautaire, ou encore en ressentir négativement les effets, devant les résistances des adultes plus ou moins bienveillants à l'égard d'étrangers qui risquent de modifier les habitudes de vie du quartier. Une intégration mal planifiée et la localisation massive d'immigrants et de réfugiés pauvres dans des quartiers déjà vulnérables ne peuvent que constituer un cocktail explosif qui fragilise d'autant le tissu social de certains secteurs urbains. Les jeunes y feront alors l'expérience de l'intolérance, sinon du racisme, retenu comme mode de transaction avec la différence.

Conclusion

S'identifier à un lieu bien à soi et à une famille où l'on se sent en sécurité, vivre dans un environnement qui stimule la curiosité et met en contact avec la diversité de la nature ou de la culture de divers milieux, disposer d'espaces à conquérir à travers le jeu et l'exploration, grandir dans un milieu où se développent une saine camaraderie et des rapports intergénérationels et interculturels positifs, voilà autant de facteurs qui contribuent, sous l'angle de la vie communautaire, au développement des enfants dans un milieu urbain sain et de qualité.

Les quatre volets précédemment abordés ne couvrent pas l'ensemble de la vie communautaire des enfants ni la totalité des facteurs sociaux influençant leur qualité de vie et leur santé mentale. Des milieux tels l'école et la garderie, des secteurs d'activités comme celui des loisirs, et des dimensions macro-sociales, telles des politiques sociales, auraient pu aussi faire partie de notre réflexion. Autour de chacun de ces thèmes à consonance sociale, il aurait été possible de réfléchir à la place accordée aux enfants dans ces milieux et ces politiques, et à leurs retombées sur la qualité de vie et la santé mentale des jeunes.

La vie communautaire des enfants est une affaire d'adultes: les enfants ne vivent-ils pas dans le même monde que nous? Ce dont nous souffrons, ils en souffrent aussi; ce qui nous grandit, les grandit aussi. Ils l'expriment cependant et le comprennent différemment, car ils n'ont pas toutes les clés nécessaires pour interpréter les jeux d'influence qui ont des conséquences sur leur qualité de vie et leur santé mentale. Le travail auprès des enfants ne s'exerce pas dans une bulle tenue à l'épreuve ou en dehors du contexte social. Il apparaît donc essentiel que les adultes engagés dans un travail d'éducation ou de relation d'aide auprès des enfants révisent périodiquement leurs interventions à la lumière de l'évolution du contexte social dans lequel elles se situent.❖

This article focuses on the way that children's life is affected by some social changes which occurred over the last decades in Quebec society. The author presents the influence on children's mental heath of some social factors such as increasing poverty, new forms of unemployment, changes in sex roles and family patterns and disruption of the community context, particularly in inner cities.

Notes

1 Le schéma de Bronfenbrenner est tiré du cahier 1 La parentèle. Voir l'article de Alain Carrier dans *Apprentissage et socialisation,* vol 16, no 1-2, 1993, qui expose l'essentiel de ce projet d'intervention écologique.

Références

Bibeau G, Chan-Yip AM, Lock M, Rousseau C, Sterlin C, Fleury H. *La santé mentale et ses visages: un Québec pluriethnique au quotidien.* Boucherville: Gaëtan Morin, 1992. 290p.

Blais MC, Tessier R. L'enfant dans la famille restructurée: système familial et aspect relationnel. *Apprentissage et socialisation* 1990;13(1):11-25.

Bouchard C. *Un Québec fou de ses enfants.* Québec: Groupe de travail pour les jeunes, MSSS, 1993. 179p.

Bronfenbrenner U. Évolution de la famille dans un monde en mutation. *Apprentissage et socialisation* 1992;15(3):181-193.

Conseil de la famille. *Quinze ans et déjà au travail.* Québec: Gouvernement du Québec, 1992. 25p.

Conseil national du bien-être social. *Profil de pauvreté: mise-à-jour pour 1991.* Ottawa: Gouvernement du Canada, 1993. 26p.

Dandurand RB. Divorce et nouvelle monoparentalité. In: Dumont F. (Ed.) *Traité des problèmes sociaux.* Québec: IQRC, 1994:519-544.

Drapeau S, Bouchard C. Soutien familial et ajustement des enfants de familles intactes et séparées. *Rev Can Sciences Comportement* 1993;25(2):205-229.

Esbensen S. *Le cadre de vie de l'enfant.* (Cahiers du GERIS) Hull: Université du Québec à Hull, 1995. [sous presse]

Garbarino J, Plantz MC. *Urban environments and urban children.* New York: National Institute of Education; Institute for urban and minority education, Colombia University, 1980.

Gaulejac V. Honte et pauvreté. *Santé mentale au Québec* 1989;15(2):128-137.

Langlois J, Fortin D. Monoparentalité à chef féminin, pauvreté et santé mentale: état de la recherche. *Santé mentale au Québec* 1994;19(1):157-174.

Liem R, Rayman P. Health and social cost of unemployment: research and policy considerations. *American Psychologist* 1982;37:1116-1123.

Madge N. Annotation: unemployment and its effects on children. *J Child Psychol Psychiatry* 1983;24:311-319.

Marcil-Gratton N. Grandir dans une famille: les enfants canadiens et les nouveaux modes de vie de leurs parents. *Transitions* 1989;19(3):4-7.

Meintel D. Les Québécois vus par les jeunes d'origine immigrée. *Rev Int Action Communautaire* 1991;21(61):-81-94.

Palacio-Quintin E. Milieu socio-économique, environnement familial et développement cognitif de l'enfant. In: Dansereau D. (Ed). *Éducation familiale et intervention précoce.* Montréal: Agence d'Arc, 1990: 254-266.

Pautler KJ, Lewko JH. Les préoccupations des enfants face au chômage: une enquête préliminaire. *Santé mentale au Canada* 1984;32-(3):22-25.

Schoor, A. The child and the community. In: Michelson et al. *The child in the city.* Toronto: University of Toronto Press, 1979:128-134.

Van Schendel N. Identité en devenir et relations ethniques. *Apprentissage et socialisation* 1987;10(2):87-97.

Wallerstein JS, Kelly JB. The effects of parental divorce: experiences of the preschool child. *J Am Acad Child Psychiatry* 1975;14(4):600-616.

Wallerstein JS, Kelly JB. The effects of parental divorce: experiences of the child in later latency. *Am J Orthopsychiatry* 1976;46:256-269.

Après avoir défini le mouvement alternatif et sa position par rapport aux structures institutionnelles en santé mentale, l'auteur partage ses réflexions sur son expérience comme délégué à la table tripartite régionale de la Montérégie où il siège depuis trois ans à titre de responsable de ressources-alternatives, mandaté par l'Association des Alternatives en Santé Mentale de la Montérégie (AASMM).

LA POLITIQUE SUR LA SANTÉ MENTALE: un défi pour le mouvement alternatif

Guy TAILLON

L'auteur a une formation de psychologue et il a oeuvré pendant dix ans dans le réseau psychiatrique.
Il dirige actuellement la *Maison sous les arbres* de Châteauguay, ressource alternative en santé mentale, et le Centre d'intervention de crise et de référence *Ecomotion*.

Le mouvement alternatif en santé mentale s'inscrit dans le courant anti-psychiatrique des années 70 symbolisé chez nous par la parution du livre *«Les fous crient au secours»* qui suscita un questionnement autant chez les intervenants que chez les usagers. Ce questionnement portait sur les abus de la pratique psychiatrique, les effets «pervers» de la médication et ses limites à assurer le retour de la personne dans la communauté, ouvrant dès lors de nouveaux champs d'intervention en santé mentale.

Bien que certaines ressources existent depuis plus de vingt ans, bon nombre d'entre elles n'ont vu le jour que dans les années 80. C'est le cas en Montérégie où une dizaine de ressources naissantes fondèrent l'AASMM. Cette association de solidarité réunit aujourd'hui une douzaine de groupes d'entraide, une quinzaine de ressources avec services d'hébergement, de réinsertion et de thérapie, et quelques centres d'intervention de crise, totalisant 29 organismes. Ces organismes sont majoritairement sous-financés et ils n'ont pas les effectifs minimaux pour fonctionner selon les normes institutionnelles. Paradoxalement, on y retrouve souvent des équipes surqualifiées au niveau académique.

29

Une définition de l'alternatif

On comprendra que devant tant de diversités, il soit difficile d'arriver à une définition qui satisfasse tout le monde. Selon nous, une ressource alternative est d'abord un organisme communautaire qui, dans sa structure et sa gestion, s'efforce d'installer un juste partage du pouvoir entre l'administration, les usagers et les intervenants. Née de la communauté, elle désire répondre aux besoins de celle-ci, tout en restant ouverte et souple. Elle est partie prenante des défis vécus par sa collectivité et considère qu'elle a la responsabilité d'intervenir dans les situations où existent des préjugés et des inéquités sociales.

Alternative, elle l'est par sa philosophie et sa manière d'offrir un lieu d'écoute et de compréhension de la souffrance émotionnelle différent de celui fourni par l'approche biomédicale. Pour elle, la personne n'est pas un «diagnostic ambulant», mais un être humain sensible et blessé qui doit être considéré comme une personne à part entière; ainsi, sa personnalité, son milieu de vie, ses conditions économiques et sociales représentent autant de caractéristiques à sa souffrance auxquelles on doit répondre. Dans l'optique de l'alternatif, la «folie» est vue comme une crise bouleversant la vie d'une personne mais qui doit être considérée comme une occasion de changement; l'accompagnement de la crise en déterminera donc la finalité en un mieux-être ou une stagnation pour l'individu souffrant. Finalement, elle croit au droit pour la collectivité québécoise d'avoir une alternative à la médicalisation de la souffrance émotionnelle et elle considère que la médication ne fait que masquer les symptômes de cette souffrance et ne peut donc être la principale réponse aux problèmes de santé mentale.

L'alternatif face à la politique sur la santé mentale

Bien avant la vague de fondation, au milieu des années 80, des ressources alternatives en santé mentale, un décret gouvernemental de 1979 officialise la régionalisation administrative des services en santé mentale qui seront gérés par les CRSSS. Malheureusement, cette décentralisation n'entraînera pas une décentralisation du pouvoir politique, bien au contraire. La mise sur pied de commissions administratives, presque exclusivement formées de cadres institutionnels ayant une orientation biomédicale, favorisera le développement de structures intermédiaires, au détriment de ressources alternatives.

Or, ces structures intermédiaires, même si elles ont l'apparence de ressources communautaires (elles sont de petite taille et situées dans la communauté), ne proposent pas une approche différente envers les personnes psychiatrisées. En effet, ces structures sont sous la responsabilité directe de professionnels des hôpitaux qui disposent ainsi d'organismes qui poursuivent les plans de traitements médicaux et psychiatriques, c'est-à-dire, qui voient à la surveillance de l'évolution des symptômes de la «maladie» des personnes et au réajustement de la médication.

L'arrivée de la politique sur la santé mentale en 1989 introduit cinq nouveaux aspects:

1. Ses objectifs sont proches de ceux de la philosophie communautaire - certains diront même qu'elle les récupère -, car ils empruntent plusieurs éléments du discours communautaire:

- Assurer la primauté de la personne
- Accroître la qualité des services
- Favoriser l'équité
- Rechercher des solutions dans le milieu
- Consolider le partenariat

2. Elle reconnaît l'action des ressources communautaires et alternatives en santé mentale.

3. Elle brise le pouvoir exclusif des institutions et des experts médicaux en établissant un mécanisme plus démocratique et pluraliste pour la mise sur pied des Plans Régionaux d'Organisation des Services (PROS); le tripartisme est constitué d'un tiers de représentants des établissements, le deuxième tiers étant composé de représentants des organismes communautaires, et le troisième tiers regroupant des représentants de secteurs connexes.

4. Elle veut favoriser la concertation et la collaboration entre les organismes.

5. Finalement, elle ouvre la possibilité d'avoir un meilleur financement des ressources communautaires.

A L'HEURE ACTUELLE, QUEL BILAN FAISONS-NOUS?

La reconnaissance des ressources

En tant que ressources alternatives en santé mentale, nous nous attendions à être reconnues autant dans notre façon de faire que notre façon d'être, et dans l'expertise qui en découle, mais aussi et surtout, pour la fonction régulatrice que nous assumons dans la communauté, c'est-à-dire, notre capacité de reconnaître les nouveaux besoins de la population et d'y répondre de manière souple et polyvalente. Pour cela, il faut reconnaître notre différence, notre autonomie, et nous en donner les moyens.

Le fait d'être reconnu comme partenaire différent mais égal ne semble pas aller de soi. Par rapport à notre rôle, nous avons ressenti plus un désir de nous voir jouer celui de «sous-traitant», là où les besoins sont grands et les moyens petits, permettant aux «vrais partenaires» de travailler sérieusement. Il en va de même pour notre autonomie. Il est de plus en plus clair que l'instrument privilégié qui accompagne le financement par service soit le contrat de service: celui-ci est élaboré sans nous et laisse peu de place à la négociation.

31

Le financement

Prenons pour exemple la Montérégie, une des régions les plus faiblement pourvues en services de santé mentale. Moins de 10% des nouveaux argents furent alloués au communautaire. Ils ont été principalement investis dans l'application de mesures rendues obligatoires par la politique sur la santé mentale, soit la création d'un comité de défense des droits des usagers en santé mentale (250,000$), de sept groupes de parents et amis du malade mental et de douze groupes d'entraide pour les usagers.

Avec un budget annuel de seulement 35,000$ par groupe d'entraide, il est impossible de payer un salaire décent pour assurer une permanence qui cumule des tâches d'administration, de représentation, d'animation, de relation d'aide, de secrétariat et d'entretien. Quelques miettes ont servi à consolider certaines ressources d'hébergement et maisons de thérapie dont les difficultés financières étaient criantes. Nous sommes donc loin du développement de nouveaux services conçus et réalisés par le communautaire.

Une des raisons de cette situation est que sous l'expression «services dans la communauté», on considère sur le même pied autant les CLSC et les ressources intermédiaires que les ressources alternatives ou les organismes communautaires autonomes. Une seconde raison est que nous sommes financés en fonction des services offerts et reconnus par le PROS plutôt que par enveloppe globale. Cette situation qui alourdit l'administration et enlève de la souplesse face au budget, diminue sensiblement notre capacité à répondre à de nouveaux besoins.

La concertation et la collaboration passe par le PSI

Pour l'alternatif, le plan de services individualisés (PSI) est davantage perçu comme un instrument de l'Etat qui oblige les établissements du réseau institutionnel à se concerter afin d'éviter le dédoublement plutôt que d'être un moyen d'améliorer la qualité des services à la personne. Il est vu également comme un moyen de ne pas *perdre le patient dans la nature* plutôt qu'un véritable moyen de donner du pouvoir à l'individu, ce qui est loin d'une approche favorisant un rôle actif de la personne dans sa démarche. D'avoir inclus le PSI dans la loi comme unique instrument est perçu comme limitant et contrôlant, avec le danger de créer des dossiers parallèles qui renferment une information stigmatisante. Finalement, le PSI nie l'expertise développée par les ressources communautaires en termes d'instrumentation et de modèle de travail au sein de la communauté.

Le tripartisme et le PROS

En Montérégie, l'AASMM a pris le «beau risque» de participer à la mise sur pied du PROS Montérégie, à travers le tripartisme. Nous y voyions une occasion de pouvoir échanger d'égal à égal avec le réseau institutionnel, dans la reconnaissance de notre expertise et le respect des différences de philosophie et de pratique. Mais ce mandat n'a pas été facile, car nous avons dû faire face: 1. à des conditions de participation difficiles, 2. à une représentativité discutable, 3. à un PROS basé sur l'idéal, 4. à un échéancier irréaliste, 5. à un processus stratégique. Nous allons expliquer chacun de ces points.

Des conditions de participation difficiles

Le travail à la tripartite nous demande de prendre connaissance d'une énorme documentation, déposée souvent séance tenante et écrite dans un langage hermétique, ce qui exige un temps incalculable, non rémunéré, tout en assumant une double tâche, car nous ne sommes pas remplacés dans nos ressources. Cette situation entraîne des tensions au sein de l'équipe et du CA; doivent-ils accepter autant de sacrifices pour la cause communautaire?

Une représentativité discutable

La représentativité individuelle avec remplacement par cooptation vient en contradiction avec notre philosophie et notre fonctionnement démocratique qui sont basés sur le délégué avec mandat qui est redevable devant ses pairs. Ce mode de représentation interroge aussi sur ce que les autres partenaires apportent, s'ils n'ont ni mandat, ni obligation de retourner à ceux qu'ils représentent: au nom de qui parlent-ils?

Un PROS basé sur l'idéal

Les partenaires ont travaillé à partir d'un PROS idéal plutôt que sur un PROS réaliste. Le PROS prévoyait 140 millions d'argent neuf pour pallier au manque de services dans une des régions les plus pauvres du Québec en services de santé mentale; de cette prévision, 40 millions seulement furent disponibles.

Le PROS se base sur les données épidémiologiques régionales, ciblant des groupes ou des secteurs de population à risque. Cette méthodologie laisse peu de place à la réalité sous-régionale, et ne trace pas un portrait concret des besoins de la population locale, comme le ferait une étude qualitative qui permettrait de répondre à la question: «Comment doit-on aider?», plutôt qu'à celle: «Combien de personnes faut-il aider?».

Un échéancier irréaliste

Nous avons dû subir une cadence de production bousculante, pour respecter un échéancier imposé d'en haut qui nous a empêchés d'avoir de véritables débats et d'étudier en profondeur l'impact des mesures, ce qui finalement nous a amenés à ne parler pratiquement que de budgets, au détriment des besoins.

_____ ***Un processus stratégique*** La cadence, en plus de l'utilisation du consensus comme moyen d'é-carter les discussions, les dissensions et les débats, nous ont entraînés à prendre des ententes minimales, sortant peu des sentiers battus. Cette stratégie n'a pas permis de remettre en question le modèle psychiatrique dominant, son efficacité ou sa pertinence, ni d'étendre les services à d'autres champs de pratique en santé mentale.

Nos attentes

Seule, une réévaluation du PROS faite dans certaines conditions pourrait permettre d'effectuer une véritable réforme politique, sociale et budgétaire. Celle-ci devrait être faite à la lumière: 1. de moyens économiques réels; 2. d'une évaluation des pratiques institutionnelles, professionnelles et des services déjà offerts par le réseau, en incluant la question de la désinstitutionnalisation; 3. d'une étude des besoins sous-régionaux faite par les acteurs et la population; 4. d'un véritable débat sur l'élargissement du champ de la santé mentale et le partage des champs d'expertise et d'intervention.

Conclusion

Malgré ce tableau qui paraîtra probablement sombre aux yeux des lecteurs, notre expérience au sein du comité tripartite nous a stimulés à mieux définir ce qu'est l'alternatif en santé mentale, à mieux nous organiser et à mettre en place des mécanismes d'informations et d'échanges permanents, à tirer des lignes directrices communes et à structurer notre argumentation et notre critique de la politique sur la santé mentale, donnant ainsi au communautaire une position relativement confortable dans les présentes négociations.

Sur un plan plus personnel, j'y ai rencontré des gens qui ont su dépasser le corporatisme et les préjugés face au communautaire. Ils ont centré leur énergie sur la qualité des services à offrir aux personnes souffrantes. Ces gens perçoivent bien qu'en Montérégie, les services sont tellement en deçà des besoins de la population qu'il est futile de perdre son temps en «querelles de clochers» et de gaspiller des énergies qui seraient mieux employées sur le terrain.

Il est certain que ce n'est pas l'an prochain que la population aura droit à un réseau non médical en santé mentale aussi bien pourvu que le réseau institutionnel actuel. Mais les mentalités évoluent et les budgets diminuent, et peut-être que, faute de moyens, la nécessité arrivera-t-elle à nous obliger à revoir comment on gère le système de santé!❖

After defining the philosophy and specific approach of the alternative care network and the position held by this movement beside the institutional structures in the mental health system, the author tells of his experience as delegate for the alternative resources at the regional tripartite table of Montérégie. He finally expresses a few recommendations towards a better functioning of the regional planification of services (PROS), further stressing the need for a reevaluation of its policies in a near future.

Références

AASMM. *Prise de position de l'AASMM face à l'introduction du PSI.* Châteauguay: AASMM, 1993.

Beausoleil LP. Réflexion critique et prospective sur la santé mentale au Québec. *Transition* 1983;(16):23-86.

CRSSSM. *Plan régional d'organisation de services en santé mentale de la Montérégie.* Longueuil, CRSSSM, 1991.

David F. *Pour une réflexion organisée et solidaire sur les Pros.* Table des regoupements provinciaux d'organismes communautaires et bénévoles, 1994.

Gaudette R. Plan de développement communautaire en santé mentale pour la Montérégie. *Santé mentale au Québec* 1994;19(1):240-241.

GIFRIC. *Les alternatives en santé mentale.* Montréal: Québec/Amérique, 1984.

Guay L. *Que voulons-nous ou le défi des revendications communes.* Montréal: RRASMQ, 1992.

Guay L. *L'évaluation des organismes communautaires et bénévoles... vous avez dit évaluation?* Table des regroupements provinciaux d'organismes communautaires et bénévoles, 1992.

Lamoureux J. *Le choc des cultures.* Montréal: RRASMQ, 1991.

Ministère de la santé et des services sociaux. *Politique de santé mentale.* Québec, MSSS, 1989.

Pagé JC. *Les fous crient au secours.* Montréal, Ed. du Jour, 1961.

SIX TÉMOIGNAGES ET UN PLAIDOYER

Les raisons de leur passion

> *Point n'est besoin de parler longtemps avec des acteurs (dans le sens de* personne qui prend une part active*) du communautaire pour vite ressentir la passion et l'énergie qui les animent. En effet et depuis toujours, doivent-ils se battre chaque jour avec* le peu *ou le* un peu plus *de ressources qu'ils obtiennent, qu'ils quémandent, voire qu'ils arrachent parfois pour prolonger leur action auprès de leur monde. C'est en les côtoyant qu'on aperçoit que ce qu'ils nomment enthousiasme et souplesse, d'autres l'appellent absence de rigueur, ce qu'ils nomment liberté, d'autres l'appellent misère, ce qu'ils nomment rêve, d'autres l'appellent folie. À croire que les embûches nombreuses qu'ils affrontent sont autant de bois porté au foyer de leur engagement. Pour vous faire part de cette richesse, nous avons voulu partager avec vous l'intimité de la démarche de six individus grandement impliqués dans le milieu communautaire. Puis, la professeure Claire Chamberland, connue pour son travail de réflexion et de recherche auprès des familles et des jeunes en difficulté, commente de façon dynamique ces témoignages.*

Le troc: le chaînon manquant entre l'adolescent et les services

Jean Casaubon

C'est au personnel du CLSC Longueuil-Est que je dois de m'avoir donné l'occasion de faire mes premières expériences en travail de rue, en acceptant de m'intégrer à l'équipe multidisciplinaire du programme jeunesse. Au départ, en 1979, j'étais purement autodidacte dans le domaine de l'intervention auprès des adolescents. Mon intérêt à rejoindre des populations de jeunes marginalisés ou inaccessibles, et leur permettre l'expression de leur socioculture par le biais d'animation de quartier, m'a poussé naturellement à favoriser le travail de rue comme stratégie d'intervention psychosociale. Quatre ans plus tard, le goût de relever de nouveaux défis m'amenait à m'impliquer davantage dans le réseau des organismes communautaires jeunesse: *Carrefour Jeunesse Longueuil* représente l'un de ces défis.

Je suis présentement coordonnateur de cette ressource qui oriente son intervention vers les lieux naturels de rassemblement des adolescents et jeunes adultes, par le biais du travail de rue et d'une unité mobile d'intervention: le *TROC*. L'organisme qui célèbre cette année le dixième anniversaire de sa fondation a été créé en 1983-84 par des citoyens du milieu, des jeunes, et par la concertation d'organismes institutionnels et communautaires. Les jeunes et adultes impliqués sont très fiers de cet enracinement dans le milieu. Au cours de ces années, l'organisme a maintes fois eu l'occasion de faire ses preuves en contribuant à améliorer les conditions de vie bio-psycho-sociales des adolescents et jeunes adultes. Soucieux d'être toujours plus efficace en tant que ressource jeunesse de première ligne, de nous rapprocher toujours davantage de la réalité des jeunes et de nous rendre plus accessible, nous développons de nouveaux outils d'intervention et des approches inspirés d'une longue expertise acquise au contact des jeunes. Ainsi, *Carrefour Jeunesse Longueuil* offrira sous peu un service d'hébergement pour les jeunes fugueurs et fugueuses.

Une problématique d'exclusion et de marginalisation

La situation que vivent les 8 739 adolescents et adolescentes de 15 à 19 ans de Longueuil (23% d'entre eux vivent sous le seuil de la pauvreté et 13% sont dans la misère, soit un revenu fixé à 60% en-deça du seuil de pauvreté) et les 13 710 jeunes adultes de Longueuil de 20 à 24 ans (44% vivent sous le seuil de pauvreté) montre l'écart important qui les sépare du monde des adultes, de même qu'elle nourrit les craintes et les préjugés des uns envers les autres. Tout en étant un facteur de l'inaccessibilité des ressources offertes par les services de santé, l'exclusion des jeunes ne peut qu'accentuer certains problèmes comme le suicide, la violence, la consommation abusive de drogues et d'alcool, les grossesses non désirées, les maladies transmissibles sexuellement, le décrochage scolaire ou social.

Par ailleurs, nous savons que ces problèmes originent de l'isolement où se trouvent les jeunes, d'un manque d'informations, de la non-reconnaissance dont ils souffrent, en plus de leurs difficultés socio-économiques et affectives. Aussi devons-nous nous interroger sur les moyens dont ils disposent pour prendre en main leur santé mentale et physique. Dans la mesure où ils détiennent les connaissances nécessaires, nous croyons que ces jeunes peuvent faire des choix et prendre des responsabilités. Il nous appartient donc de leur offrir une formation et une information adaptées, une présence significative et constante, un accompagnement ou un soutien, et ce, dans le milieu même où ils évoluent.

Le travail de rue et le Troc

C'est le pari qu'a pris *Carrefour Jeunesse Longueuil* en offrant quatre services qui adoptent tous comme stratégie le travail de rue. Par ailleurs, pour répondre aux besoins pour tout le territoire de Longueuil, une innovation toute récente tient dans la mise en place d'une unité mobile d'intervention: le *TROC (Travail de Rue et Organisation Communautaire)*. Le *TROC* sillonne les rues de 14 quartiers pour venir en aide aux jeunes en difficulté de 12 à 25 ans, notamment ceux et celles qui se trouvent en marge de l'école, de la famille, du marché du travail, et qui ne recourent pas ou ignorent l'existence de ressources communautaires et institutionnelles.

Nos objectifs sont les suivants:

• Offrir un service de première ligne aux adolescents et adolescentes ainsi qu'aux jeunes adultes en difficulté

• Favoriser le dépistage précoce des jeunes en difficulté

• Former des agents multiplicateurs (aidants naturels)

• Informer les jeunes sur les ressources existantes (localisation, modalités d'accès, types de services offerts); adresser et/ou accompagner les jeunes vers les ressources; assurer un suivi aux jeunes en difficulté qui refusent de recourir à d'autres ressources.

• Développer une présence significative et constante dans les milieux de vie des adolescents et jeunes adultes (parcs, arcades, bars, rues, etc.)

• Collaborer avec les organismes et autres acteurs du milieu (citoyens, parents, propriétaires d'établissements, etc.). Nous avons aussi des programmes d'échange de seringues et distribution de condoms, de premiers soins et de dons de vêtements et nourriture.

Carrefour Jeunesse Longueuil se définit donc comme un organisme communautaire ayant un mandat de soutien social pour la collectivité. L'expérience acquise au cours des dernières années m'amène à constater que le travail de rue, approche qui favorise l'intervention sur une base volontaire, permet effectivement d'être le chaînon manquant entre les jeunes et les services. Dans un contexte de spécialisation professionnelle, de morcellement des services (clientèles et problématiques), le travail de rue est ouvert à la globalité de la vie (différentes composantes psychosociales) des jeunes. Dans ce sens, il m'apparaît important de développer ce type d'approche qui offre aux intervenants qui la pratiquent, l'occasion d'être en contact avec des jeunes dans leur milieu, et même lorsque ça va bien.

M.L.

Les Scientifines: une histoire de femmes, de filles, d'intervention et de sciences

Lucie Brais

Mon premier contact avec le programme *Les Scientifines* remonte au printemps 1990. Je suivais alors des cours à l'Ecole de service social quand la professeure annonça que l'on cherchait des assistantes pour un projet de recherche-action. À cette époque, je ne savais pas encore dans quel type d'emploi j'allais me retrouver, mais je désirais travailler auprès de personnes, et j'avais un penchant particulier pour les jeunes. J'ai obtenu cet emploi et c'est ainsi que l'histoire commence...

Cette équipe était formée de plusieurs femmes qui avaient un point majeur en commun: elles portaient en elles l'ultime conviction qu'il est possible de changer les choses et avaient décidé de poser des actions concrètes afin d'aider les fillettes de quartiers défavorisés à contrecarrer les effets de la pauvreté chez les femmes.

J'ai fait partie de cette formidable équipe pendant plus d'un an, soit jusqu'à la fin du projet. Ce ne fut pas seulement une expérience de travail mais aussi une expérience de vie. Ces femmes ont été et sont toujours pour moi des modèles et elles m'ont transmis le goût de travailler avec des femmes, pour des femmes. Et c'est ce qui s'est passé.

Au printemps 1992, le projet de recherche était terminé mais des démarches avaient été faites afin de trouver du financement pour maintenir les activités offertes tout au long du projet. On m'a alors approchée pour un poste car on avait obtenu une subvention et les activités allaient reprendre. J'ai immédiatement accepté puisque cela représentait pour moi un grand défi et aussi l'opportunité rêvée d'être en contact avec les jeunes et de participer concrètement à l'amélioration de leur situation. Je me suis alors retrouvée coordonnatrice de la ressource avec un programme, une subvention, des locaux et du soutien de la part des pionnières du projet. Cependant, beaucoup restait à faire: il fallait embaucher des intervenantes, prendre contact avec les écoles, préparer des activités, publiciser notre retour auprès des fillettes, bref, revitaliser la ressource qui avait été fermée pendant plus d'un an.

Description du projet

La ressource *Les Scientifines* est située dans un centre culturel du quartier Petite Bourgogne dans le sud-ouest de Montréal. Son programme s'oriente d'une façon originale vers la promotion de compétences et la création d'un nouveau contexte de socialisation. Il vise, par le biais du loisir scientifique, à prévenir la détérioration des conditions de vie et du développement de fillettes âgées entre 9 et 12 ans évoluant dans un milieu socio-économiquement défavorisé. L'intervention les encourage à acquérir essentiellement de nouvelles motivations et compétences, en les soutenant dans leur projet scolaire et en les aidant à augmenter leurs capacités de réflexion, d'action et de décision, utiles dans plusieurs contextes de vie actuels et futurs.

En somme, les facteurs de risque considérés se situent à trois niveaux: le genre sexuel, la classe sociale et le syndrome des «enfants avec la clé autour du cou». Ce programme tâche de prévenir la négligence à l'égard des jeunes filles en encourageant l'épanouissement de leurs potentialités. On peut croire en effet que les difficultés psychologiques et sociales observées chez un nombre important de femmes prennent racine dans une socialisation déficitaire, et ce, à différentes périodes de leur développement. Cette socialisation stéréotypée, associée à des conditions économiques défavorables, entravent le développement des apprentissages nécessaires à leur adaptation dans un environnement de plus en plus exigeant.

C'est par le biais d'une ressource postscolaire de type «club scientifique», faisant le pont entre l'école, la famille et la communauté, que ce programme tente de réduire le niveau de risque chez des fillettes fréquentant deux écoles primaires de quartiers défavorisés. L'équipe de travail est formée de trois intervenantes et d'une directrice, et les activités ont lieu 4 jours par semaine après l'école. Le groupe est ouvert, les fillettes pouvant fréquenter la ressource à leur convenance. Entre 25% et 35% des participantes forment une famille monoparentale avec leur mère, de 30% à 50% viennent de familles composées de quatre enfants, et plus de 50% sont issues de cultures ethniques autres que canadienne.

Une heure d'activités structurées est enchâssée dans une période d'aide aux devoirs et une période d'activités non structurées. Les activités structurées servent des objectifs d'apprentissage et d'intervention précis, tandis que les activités non structurées sont des occasions de consolider des apprentissages. Concrètement, l'activité dirigée consiste à réaliser une expérience scientifique alors que les périodes libres donnent accès à des activités telles que micro-ordinateur, Nintendo, jeux et menuiserie. Les fillettes participent aussi à des activités à l'extérieur (visite au Biodôme, etc.). On reçoit également des invitées qui viennent partager leur expérience dans un emploi non traditionnel ou présenter un atelier portant sur un thème relié à la science.

L'organisme, considéré comme communautaire, vise à modifier la socialisation déficitaire chez les filles et à leur offrir des chances égales de réussite. Les multiples liens créés dans la communauté en participant à plusieurs comités d'action ainsi que les contacts établis avec les parents et les écoles permettent la concertation et le partenariat. Enfin, les fillettes peuvent devenir membres de la ressource et ainsi participer à la prise de décision de certains événements ou activités.

Impacts du projet

L'évaluation montre que les participantes améliorent leurs performances dans différentes dimensions du processus de résolution de problèmes. On observe aussi chez elles un lien positif avec la motivation scolaire et un plus faible taux d'absence de l'école. Par ailleurs, les fillettes se voient davantage dans une carrière non traditionnelle. Enfin, le personnel de l'organisme (4 femmes) en partenariat avec Développement et Paix et Relais-Femmes a participé en août 1994 à un projet de solidarité internationale au Guatemala qui porte sur la conscientisation en rapport avec les droits des enfants. Ce projet a permis de créer des liens avec un organisme du Guatemala qui tente aussi d'améliorer les conditions de vie des enfants, et d'échanger sur nos expériences réciproques.

Bilan critique de l'expérience

Depuis août 1992, moment où la ressource a été revitalisée, bien des choses se sont passées. La ressource est devenue un organisme sans but lucratif légalement incorporé et reconnu par Revenu Canada comme organisme de charité. Le nombre de participantes a augmenté, des liens de plus en plus forts se sont créés dans la communauté, tant avec les mères, les organismes du quartier que les écoles fréquentées par les fillettes. Celles-ci ont aussi réalisé une exposition «La science s'expose au féminin» qui regroupait divers montages et expériences faits dans le cadre des activités.

Enfin, nous souhaiterions permettre à d'autres fillettes de bénéficier des activités offertes par l'organisme en implantant des ressources dans d'autres quartiers défavorisés, car être une «scientifine», c'est apprendre à se faire confiance, c'est déployer des efforts afin d'être autonome et d'avoir un plus grand pouvoir sur sa vie. Cependant, comme plusieurs autres organismes communautaires, notre financement est précaire et nous devons présentement nous assurer que celui-ci soit plus stable avant de penser à multiplier nos actions. Vous aurez compris que la recherche de financement fait partie de notre quotidien, qu'elle occupe une grande partie de mon temps et que, malgré la passion qui m'anime, il est parfois épuisant de déployer tant d'efforts et d'en être toujours à se demander si, dans trois ou six mois, nous serons en mesure d'offrir des activités, ou si nous devrons cesser temporairement, faute de subventions.

Voilà, je crois que vous en savez maintenant un peu plus sur cette histoire de femmes, de filles, d'intervention et de sciences, et j'espère que je vous ai transmis le goût de vous lancer aussi dans l'aventure!

M.L.

L'Envol: une réponse au mal-être de jeunes mères
Suzanne Charest

La vie nous fait faire quelquefois de curieux détours. Enseignante en classes étiquetées «enfance exceptionnelle», puis mère de famille au foyer pendant une huitaine d'années, et ensuite, travailleuse en réinsertion sociale auprès d'ex-détenus, je me suis rendue compte des lacunes de ma formation. J'ai alors effectué un retour aux études: baccalauréat en Sciences sociales (UQAC), maîtrise en Sciences politiques (UQAM), inscription et début de scolarité au doctorat.

Durant les intermèdes scolaires, afin de me réinsérer dans le monde, je m'impliquais, à titre de bénévole, tant au niveau politique que social. Un besoin avait été identifié par une organisatrice communautaire du CLSC: plusieurs jeunes mères démunies vivaient seules leur maternité, sans support ni soutien.

Sans un sou et sans autre ressource que notre bonne volonté, deux stagiaires de l'UQAM et moi-même avons mis en route ce programme que je n'ai plus jamais quitté. J'avais été harponnée au coeur par la détresse de ces jeunes qui me bouleversait et m'apparaissait comme un vol de potentiel humain et une somme d'injustices intolérables. Je laissai tomber les études doctorales au profit de ce défi fou!

Pourquoi avoir choisi le milieu communautaire plutôt que le milieu institutionnel ou une carrière universitaire?

- Pour la grande liberté d'action dont on bénéficie
- Pour la souplesse des structures dont on s'est doté
- Pour la capacité réelle d'établir une gestion participative et ainsi d'optimiser le potentiel de chacune des intervenantes
- Pour la capacité de placer la jeune mère au coeur de nos actions sans avoir à soumettre toutes nos interventions à de multiples instances décisionnelles
- Pour l'immense place laissée à l'imagination, la créativité, l'invention
- Pour la liberté de pensée sans auto-censure, sans obligation de suivre d'autres lignes de conduite que celles qui nous sont dictées par nos valeurs, notre culture et nos principes moraux sur lesquels le Conseil d'administration et l'équipe se sont entendus
- Pour notre capacité, dans des locaux aussi familiaux, de transformer nos bénéficiaires en bénévoles. Nos besoins sont si évidents qu'il leur est facile de comprendre que nous avons besoin d'elles
- Pour toutes les personnes bénévoles qui s'impliquent avec nous, apportant un regard neuf et critique, des ressources et des dimensions nouvelles, et à qui nos jeunes apportent aussi sensibilisation et matière à réflexion

- Pour l'extraordinaire défi de financer un programme à partir de rien, de le bonifier, lui fournir des outils indispensables et des intervenantes passionnées
- Pour l'amour démesuré que nous portons à ces jeunes mères et aux enfants chez qui nous reconnaissons une part de nous-mêmes: l'aspiration fondamentale au bonheur.

L'Envol

Clientèles cibles: jeunes mères célibataires en difficulté, sur le territoire de la rive sud de Montréal.
Centre de jour L'Envol: jeunes mères de 15 à 25 ans.
Halte-garderie Les Oisillons: enfants 0-5 ans des jeunes mères.
Maison Marie-Lucille: héberge des adolescentes mineures enceintes.

But général: Réadapter et réinsérer socialement ces jeunes mères.

Buts spécifiques: Briser l'isolement et augmenter l'estime de soi des jeunes mères en difficulté, les rendre autonomes sur les plans affectif et financier, développer leurs capacités parentales, actualiser leur potentiel, les outiller pour mieux vivre.

Impacts de nos interventions

Nous sommes conscientes que ces jeunes mères sont le produit d'un système social et économique, qu'elles sont les victimes de familles mal éclatées et mal reconstituées, qu'elles sont passées par un système scolaire mal adapté à leurs besoins. Ces jeunes ne peuvent être réceptives aux connaissances quand elles ne reçoivent pas le minimum vital à tous les niveaux. Sous-scolarisées, issues de milieux socio-économiques défavorisés et à haute prévalence de problèmes psycho-sociaux, elles vivent seules une maternité pour laquelle elles ont été peu ou pas préparées.

On ne pourra pas réparer tous ces dégâts, tout autant que nous ne pourrons transformer le système social, économique et politique, à nous seules... Nous espérons augmenter l'estime de soi chez ces jeunes, leur rendre leur dignité, les outiller en développant leurs aptitudes et leurs compétences et en modifiant certaines attitudes et comportements. Il nous faut aussi fournir des exutoires à l'immense colère qu'elles portent et qu'elles retournent trop souvent contre elles.

Les petits de ces jeunes mères sont également devenus une préoccupation majeure. Nous manquons d'outils pour apprendre aux mères à développer le langage et stimuler l'intelligence de leurs enfants. Nous travaillons à éviter qu'elles reproduisent avec eux ce qu'elles ont reçu en héritage.

Ce que nous faisons n'est pas assez. Il y a là un potentiel humain gaspillé, parce que nous ne pouvons intervenir assez massivement ni assez tôt. Le temps est compté et les dommages se multiplient. Il nous faut donc inventer de nouvelles approches et trouver des intervenantes aux formations diversifiées.

Quelques pistes de réflexion

Ce constat quotidien des impacts de la grossesse à l'adolescence et de la multiplication des problèmes psycho-sociaux qu'elle entraîne soulève de nombreuses questions.

- Il faudra mesurer les impacts de la pauvreté reçue comme héritage familial. De l'intégration de celle-ci comme étant «normale», plafonnant ainsi les désirs de réalisation humaine légitime. De la pauvreté qui réduit l'imaginaire et condamne à ne penser qu'en termes de survie, d'immédiateté, nous privant collectivement de l'enrichissement que ces personnes auraient pu apporter si leur plein épanouissement avait été rendu possible.
- Il faudra aussi réfléchir aux effets pervers de l'assistanat. Du Bienêtre familial au Bien-être social, de la polyvalente à l'aide sociale, sans avoir jamais gagné son pain. Quelle perception de la vie et du monde développe-t-on par cette trajectoire? Quelle image d'elles-mêmes ces jeunes femmes développent-elles ?
- Il faudra chercher à comprendre comment les stéréotypes masculins et féminins, tant décriés et qu'on croyait avoir boutés hors du royaume, se retrouvent de façon aussi importante dans cette classe défavorisée. Père pourvoyeur, mère reproductrice, prince charmant que l'on attend et qui sera notre sauveur... Pour qui donc les féministes militantes (dont je fus et suis...) ont-elles parlé? Par qui donc ont-elles été entendues?
- Il faudra sonder ce «désir d'enfant» chez des jeunes, tant véhiculé dans certains milieux. S'agit-il de stratégies de survie, de désir détourné d'un objet, de désir d'enfant comme moyen pour sortir de la famille et de l'école, pour parer à ses carences affectives: «J'aurai quelqu'un à aimer, mon «chum» me restera...»
- Cette maternité est aussi, au-delà du sentiment, une forme de vol à main armée. «Je suis enceinte, je n'ai pas de ressources, l'État doit subvenir à mes besoins et à ceux de mes enfants».

Nous sommes devant un état de fait non négociable, une décision prise par une personne dont les coûts doivent être assumés par la collectivité. Quel autre choix nous reste-t-il?

Il faudra freiner cette multiplication des grossesses à l'adolescence et intervenir de façon massive et prolongée auprès des jeunes mères qui ont déjà effectué ce choix. Et aussi auprès de leurs enfants qui «paient la facture» de telles carences. Mais comment pourrons-nous parer à ces stratégies de survie qui sont une réponse au mal-être personnel et social de ces jeunes?

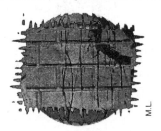

La parentr'aide: l'entraide familiale, base de la santé communautaire

Claudèle Domingue

*I*ssue d'une famille de quatorze enfants, j'ai été familiarisée très tôt aux principes de la vie communautaire. J'ai appris, au contact de parents fondamentalement différents, que la santé familiale résultait de la complémentarité de ses différences, tout comme le tissu s'élabore à partir du croisement de milliers de fibres horizontales et verticales. Pendant des générations, nos communautés ont transmis par les familles le sens de l'adaptation, de la justice, de l'équilibre et du discernement. C'est pourquoi, dans mon rôle d'intervenante en promotion de la santé, les relations familiales apparentées à des valeurs de coopération me semblent si déterminantes.

Je vous parlerai de mon implication à la *Parentr'aide* où je m'acharne à promouvoir l'entraide comme alternative à l'isolement et à la consommation de services de santé. La Parentr'aide a vu le jour, il y a dix ans, à l'initiative d'intervenantes en périnatalité du CLSC Saint-Hubert qui souhaitaient consolider un groupe de support pour les nouveaux parents. Le marrainage téléphonique et l'animation de rencontres visaient à favoriser une perception plus réaliste des exigences du rôle de parent en utilisant l'expérience parentale comme outil privilégié.

Une période de réorganisation au sein des services en petite enfance du CLSC ayant réduit la disponibilité de support aux bénévoles, la *Parentr'aide* a cessé ses activités jusqu'en 1992.

Puis, avec le courant de l'«*approche globale en périnatalité*», alors qu'on parlait de plus en plus de pauvreté, la nécessité d'intégrer l'approche communautaire refit surface. En consultant des parents d'enfants de 0-5 ans de différents groupes, on a pu constater la ressemblance de leurs besoins: répit, partage de vécu, et permanence d'un lieu de rassemblement. Le Club Optimiste du quartier accepta de prêter un bureau et deux salles de son nouveau Centre Jeunesse. Le développement d'emplois temporaires à partir du fonds du chômage a permis de consolider un noyau de 40 familles qui, en se connaissant davantage, ont progressivement personnalisé les orientations de la *Parentr'aide*.

Conséquences sur les familles

La participation et la satisfaction des familles résultent de la cohésion entre les familles participantes et les professionnels impliqués. Cette complicité n'a pas été facile à bâtir puisque le Conseil d'administration tout autant que l'équipe d'intervenants ont connu beaucoup de roulement. Cependant, deux intervenantes du CLSC sont restées présentes depuis le début, sauvegardant les convictions à la base du projet et tissant les facteurs de réussite et la capacité d'adaptation.

Ce qui donne tout son sens aux initiatives de la Parentr'aide, c'est le désir inébranlable de reconnaître la force de tout individu dans l'actualisation de sa santé et de favoriser les conditions nécessaires à cette actualisation. Ces conditions nécessitent des activités adaptées aux besoins exprimés en lien avec la réalité quotidienne. Les familles ont toujours réclamé des causeries qui permettent d'aborder les défis du métier de parent. Les rencontres «*Parentage*» proposent, une fois par semaine, un atelier parents-enfants où le thème abordé dans des jeux, comptines et activités motrices, donne des outils concrets de communication et de stimulation. La deuxième heure favorise la réflexion entre parents pendant que les enfants sont pris en charge par des stagiaires ou une intervenante. Lorsque la difficulté de se déplacer représente le seul obstacle à la participation, le voiturage est priorisé. Les frais de développement deviennent plus importants que le matériel éducatif.

Dans le cas des haltes-garderies, la disponibilité aux tours de garde n'est pas facile à régulariser. Les parents, ayant assumé la garde plus souvent qu'à leur tour, ont suggéré des mesures plus responsabilisantes, reconnaissant graduellement l'importance que tous les parents s'impliquent pour bénéficier d'une formule équitable, qui est aussi source d'apprentissages personnalisés.

Après avoir fréquenté la *Parentr'aide* pendant plusieurs mois, certaines mères n'avaient plus autant d'intérêt pour les questions liées au rôle parental. Les rencontres avaient permis de consolider des relations de confian-ce entre les mères, révélant de plus en plus les tensions dans leurs relations conjugales. Un stage en psycho-sociologie a permis d'apporter des outils sur la connaissance de soi et sur la communication, et d'aborder certaines problématiques conjugales. La détresse révélée montrait bien les inquiétudes au coeur des jeunes familles et par rapport au projet de société qui leur est proposé.

Confrontées à des situations d'appauvrissement alarmantes, plusieurs n'ont plus accès à leur rôle de pourvoyeur conditionnel au rôle éducatif. Et dans des relations fragiles où la violence s'installe, il est assez préoccupant de voir combien les pères sont évacués de la relation familiale. En rejoignant des couples de plus en plus jeunes, il me semble pertinent d'outiller la relation conjugale en vue d'une mission parentale conjointe saine et harmonisée.

Les familles en recherche d'équilibre et de justice réussissent à bâtir des relations d'entraide significatives parce qu'elles valorisent l'être et le désir de relations. Elles veulent des modèles cohérents qui désamorcent l'emprise d'une société fondée sur l'avoir et le «*chacun pour soi*». Elles réclament aussi des intervenants solidaires, authentiques et disponibles qui adhèrent à leurs initiatives pour mobiliser de nouvelles solidarités et rétablir des rapports sociaux plus équitables. Ces rapports doivent rapprocher les hommes et les femmes en visant les aspects compatibles de leurs rôles plutôt qu'en les opposant.

Complémentarité du public et du communautaire

Je ne crois pas que nos structures d'intervention publique contribuent réellement au mouvement communautaire de promotion de la santé. La disproportion des ressources mobilisées en curatif, réagissant de façon isolée à de nombreuses problématiques dissociées, laisse bien peu de temps disponible pour la recherche de solutions intrinsèques et durables. Plusieurs familles voient les professionnels de la santé comme des mécaniciens du corps, des distributeurs d'analgésiques ou des analystes programmeurs, en un mot, comme étrangers à leurs réalités concrètes. Leur exaspération et leur désillusion m'inquiètent, car elles mettent en doute la pertinence de stratégies qui réduisent nos familles à l'état de consommateurs dont il devient plus important de mesurer la misère humaine que d'y remédier!

N'est-il pas urgent de prioriser dans nos méga-structures le soutien aux initiatives éducatives en développement communautaire? N'y a-t-il pas derrière chacun de nos postes en santé publique un parent ou un grand-parent qui souhaite partager des convictions et des valeurs inspirantes afin de participer à la beauté du monde avec des familles en lesquelles il croit?

La Maison Jonathan: redonner espoir aux décrocheurs

Gaston Leblanc

Parler de soi n'est jamais facile. Quand de plus, on fait partie d'une communauté religieuse, le discours, d'entrée de jeu, risque d'être suspect. On ne peut évoquer son présent sans l'inscrire dans une histoire. Aîné d'une famille de sept garçons, pour être apprécié et reconnu sur la ferme familiale, il fallait travailler, travailler dur! Enfant, je voulais être cuisinier.

47

À 13 ans et à 15 ans, j'ai été marqué par deux enseignants: un laïc et un religieux. Des modèles, des maîtres, des adultes signifiants, comme on dit aujourd'hui. Je serai professeur chez les Frères du Sacré-Coeur, ai-je rêvé à cette époque. Aujourd'hui membre de cette communauté, je dirige un petit organisme communautaire pour décrocheurs scolaires, la *Maison de Jonathan*. J'y suis arrivé après cinq ans dans l'enseignement public au primaire, et près de dix ans à la tête d'un service diocésain de pastorale auprès des jeunes.

Un engagement dans le communautaire

Pourquoi ce virage vers le communautaire? Pourquoi laisser un emploi syndiqué pour oeuvrer dans un organisme sans but lucratif?

Mon implication à la *Maison de Jonathan* est l'incarnation d'un vieux rêve: gagner ma vie en travaillant auprès des jeunes en difficulté. Depuis sa fondation en 1981, la *Maison de Jonathan* a comme mission d'oeuvrer au développement intellectuel, affectif, social et spirituel des jeunes en difficulté.

Sa philosophie éducative repose sur l'amélioration de l'estime de soi en faisant vivre de petits succès dans des relations privilégiées avec des adultes qui ont une pensée réfléchie. Ses objectifs éducatifs se réalisent par le biais d'une quinzaine d'ateliers (cuisine, pyrogravure, guitare acoustique, ordinateur, cuir ciselé, etc.), de sports d'équipe (hockey cosam, badminton, etc.), d'activités diverses (excursions à vélo, quilles, grands jeux, etc.), d'aide scolaire (français, mathématiques, etc.) de soutien à la recherche d'emploi et de suivi psychosocial individuel.

Chacune des activités est animée par un bénévole qui n'accueille pas plus qu'un ou deux jeunes à la fois. C'est la relation personnalisée entre le bénévole et le jeune, à la manière d'un grand frère ou d'une grande soeur, qui fonde le succès et l'originalité de notre centre de jour. Annuellement, nous rejoignons quelque 350 adolescents grâce à l'implication de plus de 200 bénévoles qui offrent environ 20 000 heures de service gratuit. Dix permanents dont deux bénévoles à temps plein encadrent tous ces volontaires à l'intérieur des quatre programmes offerts.

Impacts du programme

D'abord, concernant le programme d'aide aux décrocheurs scolaires, un étudiant à la maîtrise à l'École de service social de l'Université de Montréal, entend démontrer à l'aide de tests standardisés que notre objectif d'améliorer l'estime de soi est fondé de façon significative. Par ailleurs, nous savons sur un autre plan qu'il est difficile d'évaluer adéquatement les programmes axés sur la promotion de la santé et la prévention primaire. Au-delà de l'assiduité des jeunes aux activités choisies pour prévenir le décrochage, au-delà des notes scolaires améliorées, au-delà des commentaires d'appréciation des parents, il y a un sentiment de mieux-être qui devient réel et palpable chez beaucoup d'adolescents. Ainsi, 85% de ces jeunes retourneront à l'école ou intégreront le marché du travail au terme de leur séjour au centre.

Conclusion

La Maison de Jonathan porte son lot de forces et de faiblesses et il en est de même pour son directeur. S'il ne compte pas son temps, s'il croit en la force éducative des hommes et des femmes de vision et de conviction, s'il a un sens reconnu de l'organisation et de l'animation, il lui arrive par ailleurs de perdre patience, de trop exiger des collaborateurs, d'innover trop rapidement.

Bref, tant les organisations que les personnes sont appelées à intégrer leur côté lumière et leur côté ombre. Pour ma part, consacrer une bonne part de mes énergies au service des jeunes donne un sens à ma vie, et j'en suis fier.

M.L.

Le groupe d'entraide maternelle: une expérience de partage
Louise Ouimet

Ce témoignage est pour moi une occasion de faire un retour en arrière, un bilan en quelque sorte de l'expérience et des connaissances que mon implication dans le *GEM* m'a apportées.

J'ai longtemps travaillé comme illustratrice technique dans une *«grosse boîte»*, pour employer un terme courant. Jeune diplômée en arts plastiques et en graphisme, je me considérais chanceuse d'avoir pu rapidement trouver un emploi dans mon domaine d'études. Bien sûr, c'était plus facile à l'époque (en 1974), mais déjà plusieurs de mes compagnons et compagnes avaient dû se réorienter, faute d'emplois disponibles. J'aimais ce travail et j'avais rapidement pu enrichir mes tâches et obtenir un poste de responsabilité. Mon conjoint travaillait aussi dans cette entreprise et, bien sûr, nous avions beaucoup de projets. La vie réservant bien des surprises, un beau matin, mon conjoint se retrouve sans emploi, ce qui nous oblige à revoir notre situation. Vivant à l'extérieur de Montréal, les possibilités pour lui de retrouver un emploi équivalent étaient plutôt minces. Comme depuis déjà quelque temps nous désirions avoir des enfants, l'idée de vivre chacun de son côté dans une ville différente ne nous séduisait pas du tout. J'ai donc quitté mon emploi (après neuf ans), le coeur léger malgré tout, puisque j'avais aussi envie de vivre pleinement l'expérience de la maternité.

Il est toujours fascinant de voir comment certains événements sont générateurs de changement. La naissance d'un premier enfant ainsi que le recul face à une profession que j'avais pourtant pratiquée avec plaisir, m'amenaient à prendre conscience de mon désir et de mes besoins de vivre autre chose. Le milieu des arts graphiques et des publications est un monde où la compétition est grande, où les échéances sont toujours «pour hier», et où il y a peu de place pour les véritables contacts humains. J'avais envie de voir grandir mes enfants. Mais malgré les nombreux moments de bonheur que je vivais avec mon fils, j'ai rapidement réalisé qu'être parent n'est pas une tâche facile. Une rencontre avec d'autres mères du quartier nous a alors amenées à constater qu'il n'existait pas de ressource (du moins, pas dans notre quartier) qui réponde à nos besoins d'échange, de soutien et d'information. L'idée du *Groupe d'entraide maternelle* était née. Parmi les mères se trouvait une infirmière du CLSC du quartier, qui obtint qu'une organisatrice communautaire soit libérée pour nous aider. Une intervenante du centre des femmes du quartier se joignit aussi à l'équipe. Commença alors toute une série de démarches pour l'incorporation de l'organisme et la recherche de financement. En juin 1988, le *Groupe d'entraide maternelle de la Petite Patrie Inc.* tenait son assemblée générale de fondation. Au groupe de départ, se sont jointes ensuite plusieurs autres mères intéressées par cette ressource.

Le GEM existe maintenant depuis six ans et a pignon sur rue dans un grand logement de la rue Christophe-Colomb qui nous permet d'accueillir les mères et leurs enfants. Le GEM offre un service d'accueil, d'écoute et de référence. Chaque semaine, des activités ont lieu visant à développer les capacités parentales et à soutenir les mères dans leur nouveau rôle. Une halte-garderie assure une réponse aux besoins de répit durant les activités et aussi tous les vendredis. Un réseau de marraines permet aux mamans primipares de bénéficier de la présence d'une marraine pour une période de 12 semaines. Des études de besoins faites en 1988, 1990 et 1994 nous permettent d'offrir une programmation qui répond vraiment aux besoins des mères du quartier.

Reconnu depuis 1989 comme oeuvre de charité, le Groupe d'entraide maternelle est un organisme issu de la communauté. Ce sont des femmes-mères du quartier, aidées d'intervenants de notre CLSC, qui ont mis sur pied cette ressource. Le GEM est représenté par un conseil d'administration composé de sept femmes-mères élues en assemblée générale. Une vingtaine de bénévoles et collaboratrices s'impliquent activement dans la vie du groupe. Une équipe composée de mères engagées sur des programmes temporaires de développement de l'emploi, Article 25, etc., s'occupe de la planification des activités, de l'intervention, de la recherche de financement et de la promotion de l'organisme. Deux autres travailleuses payées à même les fonds de l'organisme, s'ajoutent à cette équipe et s'occupent surtout de l'administration et du développement du GEM.

Le GEM s'adresse à toutes les mères vivant avec de jeunes enfants qui désirent partager leurs expériences afin de briser l'isolement social, de démystifier les problèmes, et ainsi dédramatiser certaines situations de conflit affectif. Le GEM rejoint surtout des mères âgées de 18 à 40 ans, vivant en familles monoparentales, en couples ou en familles recomposées dont les revenus varient de faibles à moyens. Nos services et activités visent à créer un lieu chaleureux pour ces femmes-mères qui leur permette de se rencontrer, s'entraider et agir ensemble pour améliorer leur qualité de vie et développer une meilleure relation avec leurs enfants.

Depuis ses débuts, la participation aux activités et l'implication des mères à différents niveaux dans la vie de l'organisme n'a cessé de grandir. Au fil des années, le GEM a développé de nombreuses collaborations avec les institutions et organismes du quartier et des alentours. Il est aujourd'hui reconnu comme un partenaire et une ressource essentielle dans le quartier. La société d'aujourd'hui est à mon avis peu accueillante et bien peu soucieuse de la famille et de ses nouvelles réalités. Le réseau social d'autrefois n'existe plus et l'isolement est un facteur de risque en soi. Les exigences de ce nouveau mode de vie sont grandes et il m'apparaît d'autant plus essentiel de pouvoir tisser des liens, et développer un sentiment d'appartenance à un groupe, un quartier.

Sept ans ont passé et je suis toujours impliquée au GEM où je travaille sur une base régulière. J'aime toujours aussi passionnément ce milieu, pourtant si différent du monde de l'illustration. Mes habiletés d'organisation et de communication ont servi à la création et au développement d'un projet communautaire plutôt qu'à la consolidation d'un travail de gestionnaire dans un département d'arts graphiques. Je n'ai pas de regret même si mon salaire est bien moindre que celui que m'aurait procuré mon ancien travail. Je crois enfin que la souplesse du milieu et ce que m'apportent mes contacts avec les mères et les enfants qui m'entourent, représentent une expérience bien plus riche, et ceci, malgré toutes les énergies que moi et bien d'autres avons dû et devons encore investir pour maintenir et développer cette ressource communautaire qu'est le Groupe d'entraide maternelle de la Petite Patrie.❖

M.L.

P.R.I.S.M.E. hiver 1995, vol. 5, no 1

Plaidoyer sans équivoque
en faveur des interventions communautaires auprès des jeunes et de leurs familles

Claire CHAMBERLAND

L'auteure a un doctorat en psychologie et est professeure titulaire à l'École de service social de l'Université de Montréal. Son enseignement porte sur l'écologie du développement humain et ses activités de recherche concernent l'analyse des pratiques de prévention et de promotion de même que l'étude de la violence au sein de la famille.

*J*e réfléchis sur l'intervention (et particulièrement la prévention) auprès des jeunes et de leurs familles depuis déjà plus de quinze ans. Tout comme les intervenantes et les intervenants qui ont témoigné de leurs expériences et de leur projet, je crois pouvoir dire que j'éprouve toujours le même enthousiasme devant les défis à relever dans ce champ d'action, en dépit de la morosité du climat économique et de ses malheureuses conséquences sur la sécurité des familles. Mais rassurez-vous! Je ne vous accablerai pas davantage en devisant sur cette économie profondément malade et génératrice de turbulences et de maux sociaux. Non, je tenterai plutôt ici d'insuffler une brise d'optimisme: celle qu'a suscitée chez moi la lecture des projets du communautaire décrits dans ce numéro. Je tenterai donc de dégager les connaissances produites par le savoir-faire de ces intervenants. De même, je profiterai de la tribune qui m'est offerte pour faire ressortir, lorsque cela sera pertinent, la cohérence entre les propos des auteurs et les résultats d'une recherche que j'ai menée avec des collègues sur l'analyse de deux cents projets de prévention/promotion auprès des jeunes et des familles dans la région montréalaise.

Mon commentaire abordera successivement les points suivants: l'engagement affectif des intervenants ainsi que la maturité des projets, les clientèles ou populations rejointes, le momentum où ils interviennent, leur perception des causes des problèmes auxquels ils s'adressent, la diversité des

L'auteure commente la lecture qu'elle a faite des six témoignages apportés par des responsables d'organismes communautaires et publiés dans ce dossier, tout en faisant état des résultats d'une recherche portant sur deux cents projets communautaires de prévention ou de promotion auprès de jeunes et de familles de la région montréalaise. L'analyse de ces témoignages l'amène à faire ressortir les qualités d'innovation, l'engagement, l'esprit d'entraide et de détermination de ses organisateurs, de même que la réflexion et l'analyse des problèmes dont témoignent ces groupes et les stratégies qu'ils mettent en oeuvre auprès des populations visées. Elle discute enfin les éléments contribuant à la précarité des organismes communautaires, dont le financement insuffisant et incertain, et souligne la nécessité de recherches évaluatives dans ce domaine d'intervention.

activités et des stratégies ainsi que les conditions qui ont permis à ces projets d'être des innovations prometteuses.

Des intervenants fous des jeunes et de leurs familles

Ce qui m'a d'abord frappée, c'est le ton des intervenants. C'est une parole sensible traduisant une passion et un amour profond pour ce qu'ils font et envers les personnes pour lesquelles ils travaillent. Cela m'a fait penser à une phrase de Bronfenbrenner (1992) qui considère qu'un des déterminants les plus fondamentaux pour faire grandir un enfant, c'est l'attachement affectif et émotionnel à son égard. J'ai eu l'impression que les intervenants qui ont témoigné éprouvaient des sentiments d'une grande générosité envers les jeunes et leurs parents. La forme empruntée contraste singulièrement avec le caractère atone et rationnel des communications et écritures valorisées dans les milieux universitaires. Je crois que cela contraste aussi avec la manière habituelle d'échanger dans les contextes institutionnels où l'intervenant est souvent contraint de subordonner ses croyances, ses idéaux et ses passions aux impératifs de la planification stratégique de la direction.

De plus, j'ai été impressionnée par la maturité des projets. La moyenne d'âge des projets est de 9 ans. Le fait de les avoir choisis n'est sûrement pas le fruit du hasard. On dit souvent qu'un des critères de réussite d'un programme, c'est sa pérennité, ou si vous voulez, sa capacité de durer. On peut supposer que ce critère a d'autant plus de pertinence lorsqu'on connaît les conditions de très grande précarité dans lesquelles survivent les organismes communautaires. C'est aussi une condition de réussite, dans la mesure où la qualité d'une intervention se mesure souvent à l'expérience et à l'histoire des erreurs résolues. En somme, un projet est un peu comme un bon vin; il prend de la qualité et de la substance avec l'âge!

Des interventions qui arrivent au bon moment

Une autre raison qui valide les choix de projets effectués par les co-ordonnateurs de ce dossier réside dans la grande variété des clientèles visées par ces interventions. Non seulement on prend pour cible le jeune, le parent ou, à l'occasion, les deux à la fois, mais aussi on nous présente des interventions s'échelonnant sur différentes étapes de vie des jeunes. Ainsi, trois projets s'adressent aux familles avec de jeunes enfants (*L'Envol, Parentr'aide et GEM*), un projet agit auprès de préadolescentes *(Les Scientifines)* et enfin, deux d'entre eux s'adressent aux adolescents et aux jeunes adultes (*Jonathan et Carrefour Jeunesse*).

Cette sélection «grand cru» m'apparaît heureuse puisqu'elle illustre de manière très convaincante les différentes formes d'intervention selon que 1) l'enfant est très jeune (l'intervention doit donc aussi prioriser sa famille et ses proches desquels il dépend davantage) et 2) ou qu'il est en voie de s'insérer dans des rôles sociaux d'adulte (une centration plus grande est alors mise sur les rôles d'étudiant ou de futur travailleur).

La diversité des choix des projets ne se limite pas seulement au moment où survient le projet dans la vie des jeunes mais aussi au niveau de précocité de l'intervention dans le développement des problématiques. Ainsi avons-nous des exemples pertinents de projets en prévention primaire axés sur le développement des compétences et le soutien social (*Parentr'aide, GEM, L'Envol, Les Scientifines*), de prévention secondaire (*Jonathan*), ou encore une intervention tertiaire ou même curative qui vise les jeunes aux prises avec de sérieuses difficultés (*Carrefour Jeunesse*)[1]. Ces illustrations nous enseignent à quel point l'intervention psycho-sociale auprès des jeunes et des familles couvre un territoire très vaste. Je ne voudrais pas non plus passer sous silence le caractère promotionnel des initiatives présentées. On ne formule pas uniquement les objectifs en fonction des problèmes à résoudre, éliminer ou éviter, mais aussi bien souvent, en fonction de facteurs de robustesse. Comme le soulignait récemment le livre publié par le Comité de la Santé mentale (Blanchet et coll., 1993), on agit aussi sur des éléments de la santé mentale positive.

Une analyse non blâmante des problèmes

Cette étendue se manifeste également dans les problématiques et les facteurs de risque qui justifient l'action ou qui la dirigent, i.e. *le quoi*. Ils sont parfois formulés en termes de comportements ou de caractéristiques indivi-duelles (faible estime de soi, maltraitance, décrochage scolaire, toxicomanie); ils font aussi référence aux difficultés et déficits dans la famille (monoparenta-lité, problèmes conjugaux, logements misérables) ou encore, identifient un manque d'opportunités dans les autres milieux de vie (isolement social des fa-milles, manque de répit, inadéquation et insuffisance des ressources). Dans certains cas, le propos exprime davantage des carences structurelles (exclu-sion, marginalité ou pauvreté) ou des systèmes de valeur problématiques (non-reconnaissance des jeunes ou des modes de vie non adaptés pour les familles).

Quant au *pourquoi ces problèmes existent*, plusieurs évoquent la prépondérance des causes sociales à l'origine des problèmes sur lesquels ils investissent temps et énergie. Je suis particulièrement impressionnée par la justesse des analyses que font souvent les personnes oeuvrant dans le communautaire. Ils sont plus nombreux à «percevoir» la forêt et pas uniquement l'arbre, à reconnaître et dénoncer les causes sociales et interpréter les problèmes en termes contextuels et non pas uniquement personnels. Ils sont plus sensibles au tort que l'on peut faire lorsqu'on blâme la victime. À preuve, dans notre étude, les répondants provenant des milieux communautaires ont des représentations différentes de ceux provenant de milieux institutionnels (CLSC, école) à propos des causes ou déterminants à l'origine des problèmes des jeunes et de leurs familles (Chamberland et Dallaire, 1994). Ils identifient quinze fois plus souvent les conditions de vie, ils jugent deux fois plus souvent les valeurs sociales comme facteurs de risque et considèrent l'isolement des familles et des jeunes trois fois plus fréquemment.

En somme, leur cadre d'analyse inclut l'ensemble du spectre des déterminants personnels et sociaux, alors que les intervenants des milieux institutionnels insistent davantage sur les déterminants reliés aux personnes, à la famille ainsi qu'à ses milieux immédiats. C'est comme si le cadre d'analyse des organismes communautaires était davantage influencé par le modèle écologique, et celui de l'Institutionnel, davantage associé au modèle de santé communautaire (Chamberland, sous presse). À cet effet, la profondeur et la justesse de l'analyse se retrouvent avec éloquence lorsque Suzanne Charest, de l'Envol, écrit: «*La détresse de ces jeunes me bouleversait, elle m'apparaissait comme un vol de potentiel humain et une somme d'injustices intolérables.*»

Des moyens d'action qui se conjuguent au pluriel

Au-delà de la pertinence d'analyse du promoteur, la qualité d'un projet s'évalue aussi par son agenda. Encore une fois, vous aurez peut-être été comme moi agréablement surpris par la diversité des moyens d'action et des services offerts. On dit souvent que les personnes qui agissent dans les organismes communautaires doivent savoir tout faire, en plus bien sûr de l'administration et de la gestion: de l'écoute active et empathique à la défense de droits et la mobilisation collective. Cette impression est validée par notre étude: dans les projets des milieux communautaires, on effectue en moyenne 3.2 activités par projet, en comparaison de 2.1 pour les projets des milieux institutionnels. De plus, les milieux communautaires exploitent avec bonheur le secteur récréatif et culturel. C'est une zone d'action très puissante dans la mesure où parents et jeunes peuvent répondre à des besoins très fondamentaux comme les besoins d'appartenance et d'avoir du plaisir (Glasser, 1985). Dans notre recherche, nous observons la même tendance: 13,9% des activités sont reliées aux loisirs en milieu communautaire alors que ce type d'activité représente 4,8% de l'agenda en milieu institutionnel. Un autre aspect spécifique du milieu communautaire est de reconnaître le besoin d'apporter un soutien très concret (répit, dépannage alimentaire, accompagnement, hébergement, service d'écoute). Les témoignages sont à ce niveau éloquents, les données de notre recherche également. En milieu communautaire, 16,7% des activités appartiennent à cette catégorie; en milieu institutionnel, c'est le cas de 7,8% de leurs activités. Récemment, Lord et Hutchison (1993) soulignaient l'importance stratégique de ce type de soutien auprès de personnes qui vivent de l'impuissance. Ce type d'aide, davantage orientée vers la résolution de problèmes concrets, favorise une démarche de prise de pouvoir sur sa vie et sur ses conditions de vie (empowerment), parce qu'elle fournit une rétroaction claire et tangible à la personne, lui suggérant que sa situation peut changer et s'améliorer.

Si les activités sont plus nombreuses et diversifiées, on peut s'attendre à ce que les stratégies d'action le soient. Une stratégie se définit par la nature des objectifs spécifiques visés par l'activité. Je me référerai ici à la terminologie énoncée dans la Politique québécoise de la Santé et du Bien-Être (Gouvernement du Québec, 1992). Les grandes stratégies qui ressortent sont 1) renforcer le potentiel des personnes; 2) créer des environnements sains ainsi que soutenir les milieux de vie. On y fait donc de l'éducation des jeunes en cherchant à développer leur compétence (Scientifines) ou encore à favoriser une meilleure connaissance de soi (Jonathan). Plusieurs des projets poursuivent des objectifs d'éducation parentale (Envol, Parentr'aide, GEM) ou encore d'éducation du parent mais en tant qu'adulte (info santé, causeries, café-rencontre). On cherche également à créer des lieux d'appartenance ou encore à rapprocher les lieux d'intervention du contexte de vie «naturel» des jeunes ou des familles.

C'est là aussi une autre caractéristique du processus visant à accroître le pouvoir de l'individu sur sa vie, soit de stimuler les interactions sociales, réduire l'isolement et favoriser l'implication et la participation des personnes dans des rôles sociaux significatifs (Lord et Hutchison, 1993). Les services sont donnés dans le quartier et là où se trouvent les jeunes. On offre du soutien aux jeunes (dépistage, aide pédagogique, information, écoute) ou à la relation parent-enfant (répit, entraide). On perçoit aussi qu'il est important de soutenir la personne et non pas uniquement le parent (retour aux études ou au travail, hébergement, problèmes conjugaux, ou aide alimentaire, appartenance...). Cela semble être une caractéristique de ces milieux d'intervention. Dans notre étude, les milieux communautaires rapportent déployer cinq fois plus fréquemment des stratégies qui visent à répondre à d'autres besoins que ceux associés spécifiquement à l'exercice du rôle parental. Comme si au-delà du parent, on voyait l'humain dans toute sa globalité et ses rôles.

Des stratégies à promouvoir

À l'instar des données de notre étude, peu de stratégies visent l'amélioration des conditions de vie. En dépit d'une analyse plus sociale des problèmes, les actions déployées se centrent davantage sur les personnes et leurs environnements immédiats. Je le déplore probablement tout autant que les auteurs. Il faudra donc un peu travailler à mieux harmoniser nos analyses avec nos actions. Le modèle écologique ne doit pas uniquement inspirer nos réflexions; il pourrait être un puissant outil pour orienter l'intervention et stimuler l'effort concerté vers la réduction des obstacles structurels menaçant le développement des jeunes (Chamberland et al, 1993). Même si on sait que la pauvreté est un facteur de risque sérieux, encore faut-il ne pas «utiliser» cette connaissance seulement pour mieux établir notre clientèle cible. Elle devrait aussi influencer nos objectifs et stratégies d'action. Comme le mentionnait Camil Bouchard (1989): lutte-t-on contre la pauvreté ou agit-on seulement sur ses effets?

Des conditions gagnantes

Enfin, je terminerai ce commentaire en tentant de répondre à cette question: comment ces projets ont-ils pu devenir des innovations prometteuses? J'énoncerai cinq raisons: en raison des intervenants, des bénévoles, de l'intervention, de l'organisme et des liens avec les autres forces actives du milieu.

D'abord les intervenants. Au début de mon commentaire, je soulignais la passion qui transpirait des textes. L'engagement, le haut niveau d'implication, la foi, la détermination, l'esprit d'équipe sont quelques-uns des «ingrédients» que j'ai perçus. Puis, les bénévoles. Ils sont nombreux à souligner leur nécessaire apport et leur indispensable participation, lesquels semblent être une base importante au fonctionnement de l'organisme. Au-delà de la qualité de leur travail, on mentionne l'importance de partager les décisions et le pouvoir avec eux. Ce sont souvent des organismes où les modes de gestion sont participatifs et égalitaires. Quelquefois, la réciprocité des liens est telle qu'on évite soigneusement de parler d'usager ou de bénéficiaire. On peut supposer que ce sont d'excellentes conditions pour promouvoir chez les participants leur sentiment d'efficacité personnelle.

Quant aux interventions, elles visent non pas à répondre aux besoins de l'organisme mais sont planifiées de concert avec les besoins des personnes pour lesquelles il existe. Les approches visant à une prise de pouvoir par l'individu sur sa vie et ses conditions de vie sont tangibles: d'abord par la relation égalitaire établie avec les bénévoles, puis par une reconnaissance explicite des forces des jeunes et de leurs familles comme point de départ de l'intervention. De plus, on valorise les interventions qui favorisent les conditions susceptibles d'augmenter les compétences et leur pouvoir d'action. En fait, on décrit très peu les lacunes de la clientèle; on insiste plutôt sur leurs capacités. J'aurais toutefois apprécié qu'on sélectionne aussi un projet qui réalise des activités qui vont au-delà du développement des capacités personnelles et transactionnelles des jeunes et de leurs familles (action sur les micro et mésosystèmes). Il existe des organismes qui soutiennent les parents dans leur combat contre les obstacles sociaux menaçant le développement de leur famille (action sur les exo et macrosystèmes). L'action sociale est une composante souvent négligée de l'intervention dans le champ Enfance/Jeunesse/Famille. Ce sont souvent des projets qui visent à réduire la pauvreté et la marginalisation. On doit apprendre, me semble-t-il, à les considérer dans la même «famille» d'action.

Outre les caractéristiques de prise de pouvoir, la souplesse et la créativité sont deux attributs qui sont très présents dans le discours des intervenants. C'est une des raisons qui semble déterminante dans leur choix de travailler dans le secteur communautaire. Par ailleurs, la littérature en prévention mentionne l'importance de formuler des objectifs clairs, atteignables, une démarche planifiée ainsi que des modes d'évaluation fiables (Blanchet et coll., 1993). C'est peut-être sur ce dernier aspect que certains des projets qu'il m'a été donné de lire mériteraient d'être améliorés. Il existe une certaine confusion quand on tente d'identifier comment un moyen spécifique permet d'atteindre un objectif spécifique; en d'autres termes, quel est le lien de causalité entre l'implantation d'une activité et la poursuite d'un objectif précis? Il m'apparaît essentiel également de bien distinguer ce qu'on entend par but (dont le niveau est plus général) et l'objectif (qui en est l'opérationalisation). De même me semble-t-il fondamental de réserver une partie des énergies des intervenants à évaluer si leurs efforts sont récompensés et s'ils ont ou non atteint leurs objectifs. Or, encore trop peu de projets disposent de moyens d'évaluation à la fois du déroulement des activités et des effets engendrés. J'attribue ces lacunes principalement aux raisons suivantes: 1) le manque de temps et surtout d'argent (nous y reviendrons d'ailleurs plus loin); 2) le manque d'accès à des ressources professionnelles compétentes mais aussi respectueuses des milieux; 3) une sous-exposition à une culture de l'évaluation qui insiste sur l'aspect formatif et non normatif d'une telle entreprise.

De plus, on doit dépasser l'apparence de contradiction entre, d'une part, une démarche non rigide et un cadre d'action adapté à la réalité qui évolue et, d'autre part, une démarche planifiée relevant d'une certaine «technologie» de l'action. La réussite des projets en est l'enjeu. Il ne faut surtout pas confondre rigidité et rigueur, même si la ligne de démarcation n'est pas toujours limpide. Dans notre étude, 133 répondants ont dû choisir parmi 18 facteurs les 5 énoncés qu'ils jugeaient les plus importants pour réussir un projet. Trois énoncés réfèrent à des éléments d'acquisition de pouvoir sur sa vie et ses conditions de vie et de processus, un réfère à l'adoption d'une perspective d'analyse sociale, et enfin, un des facteurs retenus souligne l'importance de la planification de la démarche et de la formulation des objectifs (Chamberland, Fréchette, Hébert et Lindsay, 1994). Il me semble que nous ne sommes plus à l'ère de l'antithèse mais plutôt mûrs pour parvenir à la synthèse de ce paradoxe!

La souplesse et la créativité semblent être aussi des caractéristiques des organismes. La fluidité des échanges, une tendance moins grande à fragmenter le travail constituent un contexte favorable à la production d'une intervention créative et novatrice. Mais on a beau complimenter le fabuleux travail réalisé dans le communautaire, force nous est de constater qu'ils font beaucoup avec peu. Le financement est insuffisant et précaire. Cela maintient le personnel qui, malgré sa compétence, expérimente continuellement de l'insécurité et de l'incertitude. En effet, les lacunes et la précarité du financement engendrent bien souvent un roulement dans le personnel, créant ainsi un contexte peu favorable au développement de l'expertise ainsi qu'à l'élaboration de pratiques progressivement plus systématiques.

Un savoir-faire systématique n'émerge pas comme une création spontanée, aussi créateur et souple puisse-t-on être. Il s'installe dans la mesure où l'intervenant peut consacrer du temps à réfléchir sur son action et à bénéficier de formation et de soutien appropriés. Or, trop souvent, les organismes communautaires sont aux prises avec des situations de survie. On ne peut pas dire que cela soit une condition favorable à la réussite. Notre recherche a d'ailleurs démontré, sans l'ombre d'un doute, cette réalité. En premier lieu, le communautaire doit davantage diversifier ses sources de financement pour survivre (Communautaire = 1.7 sources/projets; Institutionnel = 1 source/projet). De plus, et là je ne surprendrai probablement personne, la survie des projets en communautaire repose sur des appuis beaucoup plus fragiles. Près de 80% des subventions sont précaires ou annuelles; c'est le cas de 25,6% des sources de financement dans le secteur institutionnel. Les projets du Communautaire doivent dans une plus grande proportion une partie de leur survie à la solidarité du milieu. Le temps généralement consenti par les bénévoles ou le prêt d'équipement compte pour 11,4% du financement; pour le secteur institutionnel, cela correspond à 1,2% du soutien disponible. On se retrouve donc dans une situation passablement équivoque. Le Communautaire offre plus d'activités, déploie une plus grande variété de stratégies d'intervention, lesquelles ne sont nullement redondantes avec celles des milieux institutionnels; néanmoins, leur contexte monétaire ne leur permet pas d'atteindre un seuil minimal de sécurité. C'est inacceptable!

Le dernier point que j'aborderai concerne les liens et concertations que les organismes entretiennent avec leur milieu. La très grande majorité des témoignages ont relevé l'importance de percevoir sa ressource comme inscrite dans un réseau d'échange bénéficiant des acquis et des forces locales. Plusieurs des projets rapportent avoir profité au moment du démarrage de la collaboration active des intervenants du CLSC du quartier. Plusieurs mentionnent pouvoir encore activement compter sur leur appui. Cette complémentarité m'apparaît de fort bon augure. Les répondants de notre recherche soulignent également l'importance des partenariats: deux des énoncés les plus populaires pour décrire les conditions de réussite évoquent la pertinence des liens stratégiques avec le milieu.

Camil Bouchard (1994) rapportait récemment les propos d'un chercheur américain éminent qui disait: «*Pour tout problème, il y a une réponse simple... généralement mauvaise.*» Les auteurs m'ont semblé bien sensibilisés au fait que leur projet constitue un élément de solution qui, lorsqu'il est articulé avec d'autres initiatives, risque de voir son impact multiplié. À l'instar de Pransky (1991), l'intervenant devrait se voir comme une partie d'un tout (*Big Picture*) et ainsi être très vigilant à identifier les partenaires qui complètent et prolongent son travail. Loin de percevoir son voisin comme un éventuel compétiteur, les responsables des projets décrits dans ce numéro m'ont plutôt donné l'impression de travailler solidairement et généreusement avec les forces vives de leur milieu. C'est, me semble-t-il, une condition nécessaire non seulement pour la réussite des projets mais aussi pour l'amélioration des conditions de développement des jeunes et des familles d'aujourd'hui et de demain. ❖

Références

Blanchet L, Laurendeau MC, Paul D, Saucier JF. *La prévention et la promotion en santé mentale: préparer l'avenir.* Boucherville: Gaëtan Morin, 1993.

Bouchard C. Lutter contre la pauvreté ou ses effets: les programmes d'intervention précoce. *Santé mentale du Québec* 1989;14:138-149.

Bouchard C. *Un monde d'adultes à la hauteur des enfants.* [Manuscrit] 1994. 27p.

Bronfunbrenner U. Évolution de la famille dans un monde en mutation. *Apprentissage et socialisation* 1992;15(3):181-193.

Chamberland C. Réflexions d'inspiration galiléenne: implication pour la prévention. In: Tessier R (Ed). *Enfance, famille et contextes de développement.* Québec: Presses de l'Université Laval, [sous presse].

Chamberland C, Dallaire N. *Les cadres d'analyse et les modèles d'action en prévention dans le domaine Enfance-Jeunesse au Québec.* Conférence organisée par le Groupe de recherche sur l'appropriation, Université Laval, 1994.

Chamberland C, Dallaire N, Cameron S, Fréchette L, Hébert J, Lindsay J. La prévention des problèmes sociaux: réalité québécoise. *Service social* 1993;42(3):55-81.

Chamberland C, Fréchette L, Hébert J, Lindsay J. *Stratégies et critères de réussite en prévention sociale.* Communication présentée à l'ACFAS, Montréal, 1994.

Glasser W. *Control theory.* New York: Harper & Row, 1985.

Lord J, Hutchison P. The process of empowerment: implication for theory and practice. *Can J Community Mental Health* 1993;12(1):5-22.

Ministère de la santé et des services sociaux. *La politique de la santé et du bien-être social.* Québec, MSSS, 1991.

Pransky J. *Prevention: the critical need.* Burrel Fox Foundation; Paradigm Press, 1991.

NOTE

1 Cette classification est par essence arbitraire, dans la mesure où elle peut varier selon la nature du problème qu'on cherche à éliminer ou éviter. Par exemple le projet Jonathan serait de prévention tertiaire si le problème à éviter est le décrochage scolaire alors qu'il est secondaire si l'on cherche à éviter la marginalisation et l'exclusion du jeune.

The author acknowledges the contribution of six community organisms as these are presented by their organizers. She discusses their structures and results compared with those obtained in a recent study of two hundreds community projects devoted to children and families in the Montreal region. While analyzing these presentations, she evidences the qualities of investment, sense of mutual help and determination of workers, as well as the effectiveness of their strategies designed with a particular focus on the empowerment of population to which they address. She finally underlines some of the elements that contribute to their vulnerability, specially insufficient and precarious financing, and stresses the necessity for evaluative research to enhance the strategies and success of these enterprises.

Photographies, Réjean Gosselin

Photographie, Claire Beaugrand-Champagne

P.R.I.S.M.E. hiver 1995, vol. 5, no 1

Un dans la bergerie

Et la recherche à visée sociale?

À première vue, on peut croire judicieux d'inviter quelqu'un qui est connu surtout pour ses travaux en psychologie fondamentale à présenter un texte sous la rubrique «Un loup dans la bergerie» dans un dossier consacré à l'Action communautaire. Les fondamentalistes ne sont-ils pas des êtres rigides qui, à coups de crocs méthodologiques et au nom de la pureté de la Recherche, viennent semer l'émoi dans la maison communautaire et occire d'innocentes études «socialement pertinentes» dès leurs premiers bêlements? Si je me rappelle bien certaines réflexions de collègues fondamentalistes (et peut-être quelques miennes, il y a des lustres), la recherche à visée sociale suscitait dans les laboratoires scepticisme et une longue liste d'atteintes fatales à la validité interne des schèmes adoptés (et pas toujours rigoureusement suivis, faut-il admettre).

Cependant, depuis quelques années, le loup qu'on a subodoré en moi s'est engagé dans des recherches de ce type, en collaboration avec des gens du milieu. À un moment de ma carrière de chercheur universitaire en développement, il m'a semblé opportun que des outils méthodologiques et conceptuels utilisés avec profit en recherche fondamentale puissent être mis à contribution pour solutionner certains problèmes touchant le jeune enfant et sa famille. Comme il est souvent difficile de convaincre les autres à adopter (et adapter) des outils issus d'un autre monde, la solution consistait alors à y aller soi-même et à faire le grand saut dans la recherche «sociale». Si, à ce moment-là, loup je pouvais être, le loup s'est vite cassé les crocs sur les contraintes de la réalité de ce nouvel univers. Donc, je ne devrais pas être un loup bien féroce dans ce texte.

Au risque de choquer mes toujours collègues de la recherche fondamentale (et de mécontenter ceux du comité d'évaluation du CRSNG déjà bien malaisés à convaincre que nos projets sont originaux et prometteurs de retombées), je dirai d'emblée que la recherche à visée sociale est plus difficile à réaliser que la recherche fondamentale. En effet, alors que dans le dernier cas, il suffit (sic!) de satisfaire un seul public, soit les pairs scientifiques qui scrutent au rayon laser nos écrits (articles et demandes de subvention) avant d'accorder de parcimonieux satisfecit, la recherche sociale doit, en même temps, rencontrer les exigences souvent divergentes de trois publics. Naturellement, tout comme en fondamentale, il faut pouvoir présenter un produit écrit (projet ou article) irréprochable aux niveaux scientifique et méthodologique.

Est-il besoin de rappeler aux lectrices et lecteurs les trop fréquentes (trop faciles?) critiques: petit n..., il manque une condition de contrôle..., effets confondus..., l'auteur n'a pas tenu compte de..., tests statistiques pas assez puissants..., pourquoi n'avoir pas fait une analyse de bi, multi ou co-variance... (justement la seule que je n'avais pas faite), il aurait été préférable de contrôler telle variable... (mais pourquoi donc?), etc., et j'en passe des meilleures parmi le répertoire de commentaires dévastateurs dont tout chercheur, avec un peu de métier, a fait la cruelle expérience, après avoir, la sueur au front et le coeur battant la chamade, ouvert l'enveloppe au logo de l'agence de subvention ou de la revue. Et le cercle infernal se referme: il faut vite publier ces résultats si je ne veux pas risquer de perdre le renouvellement de la subvention, et il me faut cette subvention pour pouvoir terminer la collecte et l'analyse des données que je dois publier (de l'écrire ici me fait ressentir toutes les angoisses habituelles).

Comme si cela ne suffisait pas, il faut surtout et avant tout rencontrer les demandes et exigences des services ou organismes avec lesquels nous collaborons. Et cela va bien au-delà d'une entente réciproque sur les buts de la recherche. Rétrospectivement, en repensant à ma première expérience de recherche hors du laboratoire universitaire, je frissonne de ma naïveté d'alors. Les plus beaux devis élaborés dans le calme du laboratoire deviennent des monstres ou, au mieux, de la fantasmagorie quand on les communique aux collaborateurs. Mais comment donc peut-on recruter tant de participants en si peu de temps? Voyons, il est irréaliste de penser avoir des groupes totalement appariés... Le traitement expérimental est bien beau, mais jamais nous ne pourrons l'implanter tel quel dans le cadre de notre fonctionnement... Bravo, excellent programme, mais nous n'avons pas le personnel pour assurer sa réalisation au-delà de... Et dans quel lieu pourrons-nous donc mener ce testing sous des conditions adéquates? Bref, le «milieu» n'est pas un vaste laboratoire tout dévoué à notre recherche. Les contraintes sont réelles et le chercheur-loup doit surtout s'armer de patience, de souplesse et d'ingéniosité pour parvenir à ce que la recherche débute et se poursuive dans des conditions toujours susceptibles de satisfaire le public des pairs, tout en conservant la collaboration avec les gens du milieu et en respectant leur cadre de travail. Et cela s'apprend vite (ou alors on retourne à son labo), même si parfois cet apprentissage est laborieux.

Quand les résultats sortent, il peut aussi arriver que le chercheur vise à rencontrer surtout les exigences du premier public en produisant un article ou un chapitre dans un livre pour la communauté des chercheurs, dans le but de montrer qu'il a fait progresser les connaissances fondamentales. Le deuxième public peut alors ne pas être satisfait puisqu'il souhaite un produit susceptible d'avoir un impact sur son travail quotidien. Concilier les deux types d'exigences n'est pas aussi simple que cette rapide évocation le laisse supposer.

Finalement, la recherche à visée sociale doit satisfaire le public sur lequel elle porte. Même si le devis est conceptuellement parfait et même s'il répond à toutes les exigences et contraintes des gens du milieu qui l'implantent, la recherche va échouer lamentablement si notre public de participantes et participants n'est pas satisfait. Cet état d'insatisfaction, de désintérêt ou d'indifférence se traduit alors, dans le jargon de la recherche, en attrition et taux de refus de participation élevés, ainsi que par des difficultés à rejoindre la population cible. Évidemment, ces problèmes ne se retrouvent pas seulement en recherche sociale, mais ils y sont exacerbés. En effet, la recherche sociale est surtout de type longitudinal ou comprend plusieurs prises de mesure successives. Elle touche des gens pour qui l'avancement des connaissances (ou la simple curiosité) n'est pas un motif suffisant pour engager et maintenir la participation. Il faut donc penser à des moyens incitatifs pour qu'ils y trouvent de l'intérêt. Mais surtout, il faut ajuster les demandes et ne pas surcharger le contenu des rencontres. Il vaut mieux parfois sabrer dans des mesures (que les pairs trouveraient, par ailleurs, essentielles) que de voir fondre son échantillon parce qu'on lui en demande trop ou parce que ce qu'on lui demande lui paraît fastidieux. Bref, satisfaire trois publics différents, comme en recherche à visée sociale, n'est pas une sinécure. Trop vouloir rencontrer les exigences de l'un risque de mécontenter les autres et, par voie de conséquence, d'entraîner l'échec du projet.

Comme si cela ne suffisait pas, ce type de recherche souffre de «minimalisme» imposé bi-directionnel. Du côté du chercheur, les fonds octroyés à son projet (ou les fonds disponibles s'il pratique l'auto-censure-contrôle) sont beaucoup trop minimes pour escompter des résultats importants. Du côté de l'agence de subvention (ou de leurs porte-parole des «comités de pairs»), les résultats obtenus sont bien minimes (ou très modestes) en regard des sommes allouées. Il est évident pour toute personne engagée dans la recherche sociale que le programme qu'elle réussit à implanter, même avec des ressources importantes, ne touchera qu'une partie des conditions qui affectent la vie des populations visées.

À moins de croire (et même dans ce cas-là) que tout, le bien comme le mal, vient de l'individu et qu'il suffit (!) de le modifier, on ne peut que rêver de transformer les conditions physiques et sociales générales dans lesquelles se développent les enfants et que l'on considère responsables (au moins en bonne part) du fonctionnement non optimal (euphémisme!) de certaines familles. Alors comment penser obtenir des résultats autres que «modestes» quand l'action des programmes, si efficaces et généreux soient-ils, ne portent que sur une partie du problème? Notre tâche consiste, malgré tout, à agir là où nos interventions parviendront à mieux équiper l'enfant, sa famille et sa communauté pour résister aux conditions adverses et mieux tirer parti des autres ou, plus optimistement, pour qu'aussi ils transforment ces conditions. Cependant, nous avons parfois l'impression qu'on nous demande d'assurer la «résilience» (le nouveau concept à la mode) des populations vulnérables comme si l'intervention sociale devait être une vaccination. La toxicité des conditions physiques sociales est toujours là, mais la population est immunisée!

La pression exercée sur les chercheurs pour qu'ils «sortent» rapidement des résultats (et puissent continuer d'obtenir des fonds) affecte - pour ne pas dire, détermine - la façon de faire la recherche sociale. Ce point, à lui seul, pourrait remplir ce numéro de P.R.I.S.M.E., aussi je ne m'arrêterai qu'à trois conséquences très reliées. Tout d'abord, parce que cela coûte moins cher, qu'il est plus facile et rapide de colliger des données et de les analyser, la recherche sociale devient de plus en plus de la recherche par questionnaires-inventaires. La part des mesures recueillies par observation directe des comportements diminue comme peau de chagrin. Pourtant, tout débutant en psychologie apprend vite qu'il y a des différences entre ce que les gens rapportent faire et ce qu'ils font vraiment. L'un et l'autre systèmes de comportements sont influencés par des constellations distinctes de variables. La tendance actuelle à trop se fonder sur des questionnaires et des rapports verbaux ne fournit donc qu'une partie des réponses aux questions que l'on se pose. Par exemple, on ne sait pas ce que les enfants font en situation sociale mais plutôt ce qu'en dit un instituteur. Sans nier son éventuelle utilité, on va trop souvent aussi se contenter d'un questionnaire de satisfaction pour évaluer les bienfaits d'un programme plutôt que de mesurer ce qu'il a vraiment changé dans les conduites des participants. Il s'agit d'un glissement dangereux, en grande partie explicable par les contraintes financières et la pression de vite publier des résultats. Avant que l'on m'accuse de me prendre pour le loup pur dans une bergerie minable, j'avoue sans détour avoir péché dans le sens de la facilité, et pour les mêmes motifs conjoncturels. Il n'empêche qu'il faut réagir et rectifier le tir: rien ne remplacera les mesures de comportements recueillies dans les contextes où ils se déroulent habituellement.

Deuxièmement, parce qu'il est important d'avoir des mesures prises sur un n élevé, mais que les ressources allouées pour le faire sont limitées (je sais, je me répète), les chercheurs se voient souvent forcés à être bruts dans leur choix de variables évaluatives. Par exemple, ils vont se rabattre sur des données qualitatives impressionnistes et verbales de l'efficacité d'un programme (tel le jugement global sur une échelle en cinq points du fonctionnement social en groupe donné par une éducatrice de la garderie) ou encore, quand les mesures sont plus de nature quantitative, sur les seuls résultats scolaires au cours de la dernière année pour rendre compte du fonctionnement cognitif. Sans prétendre avoir mené là-dessus une étude systématique, j'ai noté (et il est facile pour vous, lecteur, de vérifier cette assertion) une corrélation négative entre la taille de l'échantillon et le degré de raffinement des mesures. Dit crûment, plus on accroît le n, plus les mesures deviennent grossières. Par voie de conséquence, il devient moins facile de déceler les effets plus spécifiques (ou plus nuancés) d'une intervention.

En troisième lieu, la pression du premier public pour que nous présentions des mesures évaluatives standard et non équivoques ne permet pas de rendre compte de la plus large variété d'effets positifs possibles. Par exemple, l'efficacité d'un programme d'intervention sur le développement des habiletés cognitives de l'enfant doit s'évaluer par des gains de points au Stanford-Binet ou par une hausse des notes scolaires chez l'ensemble (ou presque, sinon la variance...) des participants du groupe expérimental. Il sera difficile de convaincre les arbitres d'un comité de lecture ou d'évaluation que les effets de l'intervention puissent se retrouver pour plusieurs dans cette ou ces mesures, mais aussi (ou plutôt) dans de meilleures capacités à maintenir ou à distribuer son attention, dans des méthodes mieux appropriées de travail, dans l'acquisition de nouveaux intérêts face aux tâches intellectuelles ou dans une réduction de l'absentéisme à l'école, avant que cela ne se répercute dans les mesures standard. La façon «straight» (qu'on me pardonne le terme) de penser la recherche sociale risque de nous faire commettre l'erreur de type 2. Ici, cependant, avant de me faire taxer d'«agnellisme» primaire (ou d'anti-loup notoire), je dois admettre qu'une exigence essentielle de la recherche scientifique est de convaincre et que les outils méthodologiques et statistiques pour embrasser avec toute la rigueur souhaitable une telle multiplicité d'effets restent encore à créer. Il n'empêche qu'il serait profitable, considérant l'extrême variabilité interindividuelle et la variété des conditions qui affectent le fonctionnement des individus face à la petitesse de nos moyens d'intervention, de développer de nouvelles façons de faire de la recherche à visée sociale. Allez, bon courage Andrée, Ginette, Jacques, Geneviève, Suzanne, Gérard et les autres!❖

Gérard MALCUIT, Ph.D.

L'auteur est professeur et chercheur au Laboratoire d'Étude du Nourrisson du Département de Psychologie de l'Université du Québec à Montréal.

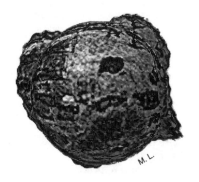

P.R.I.S.M.E. hiver 1995, vol. 5, no 1

DE LA FRAGILISATION
À LA MARGINALISATION

Un regard critique sur la communauté haïtienne de Montréal

Lejacques COMPERE

George-Marie CRAAN

Les auteurs travaillent à l'Association canadienne pour la Santé mentale, Filiale de Montréal, respectivement comme coordonnateur et agente d'intervention dans le projet ethnoculturel visant la communauté haïtienne.

La notion de «communautaire» circonscrit un ensemble de réseaux de significations différenciées et multiformes. Elle se définit par opposition ou appartenance à des entités ou à des contextes bien définis, qu'il s'agisse d'une communauté de personnes partageant le même territoire et ayant une identité ou des intérêts communs, ou d'un réseau social de base autour duquel s'organisent des actions, des infrastructures de services, des échanges, etc. (Lavigne, 1987). Quant à l'action communautaire, elle s'inscrit dans tout ce qui se fait en dehors des espaces organisés du pouvoir étatique. Dans cet article, nous nous intéressons particulièrement à l'espace communautaire structuré sur la base de l'ethnicité, et plus spécifiquement à la communauté haïtienne: comme espace identitaire, en plus d'intégrer en plus petit l'ensemble des dimensions évoquées plus haut, elle est un lieu d'affirmation, de solidarité et de confrontation.

En effet, la communauté ethnique est un réseau identitaire de relations sociales qui permet à un segment de la population de camper une certaine unité, renouer certaines habitudes de vie et développer des liens de solidarité qui rendent possible la collectivisation de certains problèmes. En ce sens, elle peut être présentée comme un filet de protection (Gordon, 1978; Jacob, 1991). Par contre, la communauté ethnique évoluant en marge de la société majoritaire doit disposer, pour être influente et protectrice, de cette base d'affirmation et de solidarité. Dépourvue de ces atouts, elle peut

Les auteurs retracent l'histoire de la communauté haïtienne de Montréal en identifiant les deux vagues d'immigration des années 50 et 70. S'appuyant sur le statut et les caractéristiques de ces immigrants, ils soulignent les facteurs d'identité et d'exil entre parenthèses qui ont contribué à la vulnérabilité de l'espace communautaire haïtien. Ils mettent ensuite en évidence le dilemme auquel font face les enfants et surtout les adolescents haïtiens qui doivent choisir entre des univers référentiels dont les normes et les échelles de valeurs s'avèrent souvent conflictuelles et source de marginalisation de leur famille ou de la société d'accueil. Les auteurs discutent finalement les stratégies de confrontation ou de négociation que les adolescents adopteront pour s'intégrer et construire une identité fragilisée en raison des conditions de vie familiales, sociales et psychologiques dans lesquelles ils évoluent.

devenir, contre son gré, un lieu de repli qui ne sert qu'à gérer les effets de la marginalisation et de l'exclusion sur ses membres. Dans un tel cas, elle est plus propice à la fragilisation qu'à l'émancipation ou l'épanouissement, car les motivations de solidarité et de support mutuel peuvent se muer en compétition ou en discours illusoire, camouflant les réalités et les désirs effectifs des acteurs concernés.

Une identité hypothéquée La résistance de la communauté haïtienne aux pressions intégratrices de la communauté d'accueil ne s'organise pas uniquement ni ouvertement autour de ses croyances, de ses habitudes et de ses modes de vie intrinsèques. Les pratiques vaudouesques, la parenté élargie, les modes de communication, de négociation et de résolution de conflits qui sont spécifiques à la tradition haïtienne y sont maintenus à un très faible niveau, lorsqu'ils ne sont pas complètement disparus. Ces valeurs et pratiques devenant marginales au sein même de la communauté, elles ne sont plus compétitives face aux normes et aux exigences de la société d'accueil, et elles sont perçues comme des handicaps plutôt que des valeurs positives.

Alors que les parents avaient vécu suffisamment longtemps en Haïti pour acquérir des bases et des repères identitaires solidement ancrés dans la culture et les traditions haïtiennes, leurs enfants, arrivés très jeunes ou nés ici, n'intègrent que ce qu'ils ont pu leur transmettre, mais avec toutes les contradictions, incohérences et ambivalences inhérentes à ce genre de transmission. Parfois, certains jeunes s'estiment Haïtiens simplement par référence ou par filiation, tandis que d'autres se résignent à cette identité pour mieux se situer face à l'entêtement des pairs et de la société d'accueil qui ne voient en eux que leur «haïtianité». Cette identité, acquise en dehors du contexte haïtien et transmise par des parents qui, dans la plupart des cas, ne sont pas complètement émancipés de l'emprise de la colonisation, assumée dans l'adversité et retravaillée à partir des valeurs et modèles sélectionnés dans la société d'accueil et ailleurs, devient chez les jeunes une synthèse formée par des choix éclectiques (Laperrière, 1992).

Problématique générale Cet article se veut une réflexion sur les observations que nous faisons de par notre engagement dans la communauté haïtienne et notre travail auprès des jeunes Québécois d'origine haïtienne. Il ne s'agit pas d'observations découlant d'une recherche scientifique mais d'une interprétation ou d'un essai sur la réalité telle que nous la percevons.

Il nous semble qu'une communauté marginalisée ethniquement, politiquement, économiquement, socialement et culturellement, ne disposant pas de moyens pour promouvoir et valoriser les pratiques, valeurs et normes de sa cohésion interne, ne constitue pas d'emblée, en dehors des avantages et désavantages que procure toute enclave de ce genre, un filet de protection psychosociale pour ses membres et les générations futures. Nous tenterons de démontrer que la communauté haïtienne, s'étant instituée sur des bases fragiles, a du mal à faire émerger de la marginalité qui la caractérise, ses principes de vie, ses modes de négociation et de résolution de conflits, ses pratiques culturelles porteuses et garantes d'identité. Par conséquent, elle demeure un milieu potentiellement protecteur, mais fragilisant dans le «ici et maintenant».

Fragilité historique et sociale de la communauté haïtienne

La communauté haïtienne au Québec est vieille d'environ une quarantaine d'années. Durant les années 50 et 60, elle était constituée en grande partie d'étudiants et de professionnels des milieux de l'éducation et de la santé. Ce portrait s'est considérablement modifié au cours des années 70 avec l'arrivée massive d'individus de diverses conditions sociales appartenant, pour la plupart, aux couches sociales laborieuses d'Haïti. Cette deuxième vague, comme on l'appelle, était moins armée financièrement et intellectuellement pour s'intégrer rapidement et harmonieusement dans une grande ville d'un pays dit développé. D'ailleurs, plusieurs membres de cette nouvelle vague n'étaient pas en règle avec l'immigration canadienne. Leur énergie se concentrait donc à normaliser par tous les moyens leur statut d'immigrant, et ainsi contrer les sentiments de peur et d'angoisse qui empoisonnaient leur existence.

Un exil entre parenthèses Pour les Haïtiens, acccablés de malheur dans leur pays, le Québec symbolisait un endroit sympathique, sécurisant et plein d'espoir. Ils pensaient non seulement y vivre en paix, mais aussi faire venir le reste de leur famille encore en Haïti. Le désenchantement ne tarda pas à se faire sentir; ils comprirent assez vite qu'ils laissaient un problème pour en affronter un autre. Exilés de leur pays, traqués ou déclassés ici, beaucoup d'Haïtiens ne savaient à quelle entité divine se vouer, tant était grand leur désespoir. Un éventuel et pas très lointain retour au pays d'origine commença à s'inscrire dans leur calendrier quotidien. Aussi entrevoyaient-ils leur exil comme une parenthèse à l'intérieur de laquelle il ne fallait pas se complaire. L'important consistait à chercher des conditions et des moyens permettant le retour à la maison. En conséquence, plusieurs manifestaient de grandes réticences à s'investir individuellement ou collectivement dans des activités, à prendre des décisions ou des responsabilités, pour ne pas compromettre la concrétisation de leur rêve.

Ce projet de retour avait pour condition ultime la chute de la dictature des Duvalier. De ce fait, les Haïtiens redoutaient sérieusement les mesures forcées de rapatriement. C'est ainsi que l'insécurité et l'angoisse de vivre et de s'adapter clandestinement dans ce pays, l'appréhension d'être forcés de retourner en Haïti et de revivre dans des conditions qu'ils avaient été contraints de fuir, l'expérience de la marginalisation avec son lot d'exploitation, de frustrations, d'humiliations, de désespoir et de fragilisation dans un contexte où ils sont minoritaires et visibles, en ont fait une communauté à l'âme meurtrie.

Plus de réalisme face au projet de retour La dégradation accélérée de la situation politique et sociale d'Haïti depuis la chute de la dictature des Duvalier en 1986, amplifiée par le coup de force contre l'option du peuple haïtien, exprimée démocratiquement à travers l'élection du président Jean-Bertrand Aristide, a refroidi l'élan de la plupart des Haïtiens vis-à-vis de leur projet de retour. Il faut aussi noter que plusieurs d'entre eux s'étaient déjà rendus compte à l'essai, que tous les membres de leur famille ne partageaient pas ce plan et qu'ils allaient au-devant de difficultés néfastes pour l'équilibre familial. Aussi, certains ont-ils choisi de rompre leur ambivalence en choisissant de demeurer au Québec, mais sans abandonner Haïti pour autant. Du Québec, ils pouvaient s'identifier et se montrer solidaires à la lutte pour le changement en Haïti.

La reconstitution de la famille dans ce nouveau contexte venait élargir et amplifier les sources de tension qui alimentaient la vulnérabilité de cette communauté (Lum et al., 1980; Dejean, 1978; Magalam, 1986). En effet, si les ruptures engendrées et entretenues par la migration étaient difficiles à vivre, le «rapiéçage» de solitudes, d'individualités et de différences difficiles à négocier comportait également les risques d'une dislocation virtuelle.

Vers une structuration organisationnelle de survie Les Haïtiens ont commencé à s'organiser sur une base communautaire dans les années 70. En effet, les deux plus anciens organismes de la communauté ont pris naissance en 1972[1]. À l'instar des individus, ces organismes avaient deux grandes préoccupations: Haïti et Québec. La promotion et la défense des droits des Haïtiens vivant au Québec allaient de pair avec la dénonciation du régime politique en Haïti. De même, la lutte contre la discrimination et l'exploitation vécues ici se présentait comme le prolongement de la lutte en Haïti pour la vie, la dignité et la liberté.

Ces organismes menaient de front ce double agenda, à tel point qu'ils venaient appuyer et entretenir cette logique d'une existence entre parenthèses, en attente d'un éventuel retour. Ils circonscrivaient leurs activités à l'intérieur de deux grands axes d'intervention: d'une part, ils s'efforçaient d'offrir aux Haïtiens des espaces communs et des occasions pour se retrouver, briser leur isolement, partager leurs inquiétudes et angoisses, se mobiliser, s'organiser pour dénoncer la dictature politique en Haïti et se solidariser avec le peuple. D'autre part, ces organismes les encadraient et les supportaient dans leur lutte contre des politiques, des attitudes et des comportements qui portaient atteinte à leur personne et à leurs droits. Très peu d'efforts semblaient aller dans le sens de faciliter l'enracinement matériel de la communauté. On travaillait sur ce qui constituait, pour les individus, des priorités incontournables et des urgences du moment.

Une enclave sur des bases fragiles

Au tournant des années 80, la communauté haïtienne commença à constituer un groupe non négligeable à Montréal. Les familles s'étaient élargies par la réunification. Les jeunes arrivés d'Haïti, se mêlant à ceux nés ici, fréquentant les écoles, les parcs et les rues de leur quartier, devenaient visibles et repérables. D'autres types d'organismes communautaires répondant à des clientèles et des besoins spécifiques prirent alors naissance. De petits commerces, surtout dans les domaines de l'alimentation et de la coiffure, virent le jour. Des églises, des bureaux de médecins et d'avocats, de courtiers d'assurances et d'immeubles s'adressant prioritairement aux Haïtiens connurent une forte augmentation. Cette infrastructure de services en émergence consacrait le passage d'un groupe luttant pour sa reconnaissance légale à une communauté se dotant d'une base organisationnelle de survie[2] et s'érigeant en enclave (Véga et al, 1987).

Cette enclave, s'instituant sur des bases fragiles, ne disposait toujours pas des moyens nécessaires pour répondre adéquatement aux besoins et aux attentes de tous ses membres. N'étant pas habitués à utiliser les services en dehors de la famille élargie, la plupart des membres de la communauté n'allaient pas chercher d'aide dans les organismes communautaires du milieu d'accueil. Les jeunes, eux, étant davantage partagés entre le mode de vie de la société d'accueil et celui de la famille, ne se retrouvaient pas plus dans l'un que dans l'autre. En conséquence, les attentes des uns et des autres n'étaient prises que partiellement en considération par les services existants.

La vie communautaire de l'enfant haïtien épouse le mode et les conditions de vie des parents, et plus largement, de la communauté. Outre l'école, obligatoire à un certain âge, et la garderie lorsqu'elle est incontournable, nombreux sont les enfants haïtiens qui n'ont pas d'autres loisirs que la télévision entrecoupée de quelques sorties au marché et à l'église. Vivant dans des conditions difficiles, ces enfants accumulent beaucoup de frustrations: faute d'espace adéquat pour les exprimer, certains le font à des endroits inappropriés et sont perçus comme des délinquants. La rigidité des parents et de la société face à ces agirs renforcent chez ces jeunes un fort sentiment d'incompréhension, ce qui les amène à expérimenter la marginalisation et à s'affirmer à travers des oppositions multiples.

Une identité construite dans l'adversité

La communauté s'est construite sur une base de survie, de reconstruction à zéro et de recherche de sens temporaire avec l'objectif de regagner l'Alma mater le plus tôt possible. Ainsi, des balises solides ne sont pas mises en place pour assurer une certaine stabilité aux enfants. La plupart, en grandissant, ne se voient pas retourner en Haïti, un pays qu'ils connaissent à peine ou pas du tout et qui, de plus, ne présente pas une image positive et valorisante au sein du globe. Vivre au Québec ne leur offre pas d'alternatives alléchantes non plus. Ces jeunes symbolisent toujours, même s'ils sont nés dans le pays, «l'autre venu d'ailleurs» qui vient semer la pagaille, voler les emplois et questionner la société à tous les niveaux.

Photographie, Réjean Gosselin

Pour ces jeunes, la confrontation et la négociation font partie intégrante de leurs stratégies d'intégration et de construction d'une identité, au départ, fragilisée en raison des conditions de vie familiales, sociales, économiques et psychologiques dans lesquelles ils évoluent. Ces stratégies de confrontation et de négociation ne conduisent pas aux finalités recherchées. D'un côté, les parents font face à une remise en question profonde et incessante qui engendre un malaise, soit en renforçant leur rigidité culturelle, soit en accélérant un processus de démotivation, compromettant toute tentative de dialogue amorcée par les jeunes. De l'autre côté, la société d'accueil, de par les préjugés véhiculés sur les Noirs, cultive une perception négative à l'égard de ceux-ci et érige des limites qu'il leur est difficile de surmonter pour sortir de leur marginalisation sociale et culturelle.

Comme le souligne Moro (1992), pour l'enfant de migrant, deux univers référentiels sont théoriquement utilisables: celui des parents et celui de l'extérieur, même si ces références ne sont pas susceptibles d'être intégrées dans leur globalité. Les problèmes d'intégration des parents sont transférés en miroir sur les jeunes (Chalom, 1993). Et comme tout dans la situation des parents est précaire (précarité psychologique, précarité de l'emploi, des rapports sociaux et du logement), les jeunes cultivent un fort sentiment d'insécurité, de désespoir et de désillusion face à l'avenir. Certains jeunes Haïtiens sont en perpétuelle confrontation avec la culture du pays d'origine et celle du pays d'accueil dont le système de références, les normes et les échelles de valeurs sont différents. A cause de la tension qui existe entre la culture des parents et celle de la société d'accueil, l'intégration sociale et familiale de ces jeunes se fait souvent de façon conflictuelle. Ils sont confrontés à des systèmes de valeurs disjoints et ont souvent tendance à adopter une identité fractionnée, composée de modèles sélectionnés: 1) dans la communauté d'origine; 2) dans la communauté d'accueil; 3) des États-Unis, et renforcés de plus par les stéréotypes négatifs et dévalorisants que leur renvoient les médias.

Des auteurs comme Dinello (1985), Pederson, Sartorius et Marsella (1984), Weinreich (1983), Legault (1990), rappellent que les adolescents de la deuxième génération, dans leurs tentatives de formation de leur identité personnelle, sont obligés non seulement de rétablir la cohésion entre des systèmes de valeurs disjoints, mais aussi et plus fondamentalement, ils doivent reconstruire une perception cohérente des figures adultes conflictuelles qui leur servent de modèles. La cohérence et l'estime de soi sont des facteurs importants dans la construction de l'identité et de l'image de soi d'un jeune. Ce sont des valeurs personnelles qui suscitent chez tout individu le sentiment qu'il peut être aimé, être satisfait de lui-même et se fixer des objectifs réalistes. Se basant sur le portrait global de la communauté haïtienne, nous retrouvons un enfant tiraillé entre deux systèmes de valeurs et deux modes de vie distincts mais qui est, de plus, interpellé par le modèle américain et figé dans des rôles stéréotypés que les médias lui proposent.

Placés dans cet environnement, ces jeunes sont obligés d'utiliser plusieurs stratégies d'intégration, et parmi celles-ci, nous retrouvons deux tendances extrêmes, soit les stratégies consensuelles et les stratégies conflictuelles. Les jeunes qui développent une stratégie consensuelle semblent plus imbus de leur identité. Stimulés par les parents ou guidés par leurs propres ambitions, ils essaient d'exceller partout: dans les sports, aux études, et ailleurs. Toutefois, le stress que génère cette course à la réussite ou à l'excellence met souvent ces jeunes face à leurs limites, et ainsi les fragilise. Ceux qui développent la stratégie conflictuelle optent surtout pour le regroupement entre pairs, pouvant aller dans certains cas jusqu'à l'adhésion aux «gangs» de rue. Pour ces jeunes à la recherche de filiation et de valorisation, les «gangs» constituent un lieu attractif qui leur permet de manifester, d'une certaine façon, leur contestation, de se construire une identité, de gagner de l'argent et du pouvoir. Cependant, quelle que soit leur stratégie, ces jeunes refusent de s'enfermer dans des rôles et des paramètres culturels stéréotypés.

L'option transculturelle des jeunes

L'option transculturelle des jeunes Haïtiens les amène à développer une vision critique de la société d'accueil aussi bien que de leur communauté d'origine. Ceci les conduit à vouloir éviter, d'un côté, les travers d'un individualisme indiscipliné et inconvenant et, de l'autre, ceux d'un autoritarisme insensé et incontestable. L'éclectisme dont les jeunes Haïtiens semble faire preuve constitue un sérieux enjeu pour les familles haïtiennes. Aux yeux des parents, la contestation des principes hiérarchiques et des pratiques autoritaires représente une disqualification, voire même, une négation de leur rôle.

En effet, ce questionnement, s'appuyant sur la société d'accueil qui promeut des principes égalitaires, tend à renforcer et à transférer dans la famille, les réflexes ainsi que les oppositions que les groupes minoritaires cultivent à l'égard du groupe majoritaire. De plus, lorsque les parents se sentent directement remis en question dans leur savoir-être et leur savoir-faire, ce qui implique une dépréciation à la fois personnelle et référentielle, ils s'enlisent dans une attitude défensive, passive ou active, qui les prive autant du support de la société globale que de celui de leurs enfants. En conséquence, certains jeunes ne bénéficient pas du soutien de leurs parents.

L'adhésion des jeunes à deux systèmes de valeur et à deux environnements provoque certains tiraillements. Leurs besoins d'égalité et d'autonomie sont, dans une certaine mesure, en tension avec leur allégeance à la solidarité et à la déférence qui caractérisent les rapports dans les familles haïtiennes traditionnelles. La défiance à l'égard de l'autorité parentale et des autres normes importantes constitue une atteinte grave à la dignité des parents. Il en est de même des actes délinquants ou déviants posés par les enfants.

Certains jeunes avec lesquels nous travaillons ont appris à leurs dépens que la solidarité des parents n'est pas toujours inconditionnelle mais qu'elle fait partie d'un contrat de vie qui, lorsqu'il est violé, entraîne des déchirements pouvant aller jusqu'à la rupture. Par ailleurs, la situation la plus pénible ne se vérifie pas dans le non-respect des normes et règles familiales; elle se donne à voir surtout dans la non-motivation des parents, disqualification culturelle oblige, à s'impliquer dans le mode de vie de leurs enfants. Dans bien des cas, l'inverse est cependant tout aussi vrai. Comme cette situation est loin de favoriser l'émancipation individuelle qui serait censée dériver de cette absence de contrôle et d'autorité parentale, les jeunes expérimentent de l'incompréhension et du rejet. Certains ne jouissent plus d'aucun support d'adultes indulgents, et pour compenser ce manque, ils ont recours à des groupes d'amis comme source de valorisation et de soutien.

Conclusion

Les arguments qui supportent la thèse avancée dans cet article peuvent paraître à plusieurs égards pessimistes. Pourtant, notre intention est tout autre. Nous voulons jeter un regard critique plutôt que triomphaliste, en partant de nos observations sur la fragilité historiquement construite et socialement entretenue de la communauté haïtienne de Montréal. Prendre conscience de cette situation et des conditions qui l'ont engendrée et qui la structurent est un pas vers la recherche de voies de sortie. Aussi pensons-nous qu'une recherche empirique pourrait apporter un éclairage scientifique sur le triple rapport entre ethnicité, marginalisation et fragilisation, et répondre aux questions suivantes: en quoi une société pluraliste comme le Québec peut-elle contrer la fragilisation et la marginalisation qui caractérisent la communauté haïtienne? Dans quelle mesure cette société peut-elle favoriser l'émancipation et l'épanouissement des enfants d'origine haïtienne, sans exacerber les conflits déjà existants?

Pour notre part, nous estimons que la force d'une communauté réside autant dans son passé que dans son présent: il est essentiel que la communauté haïtienne retrouve son équilibre entre ces deux moments et renoue avec ses pratiques et croyances fondatrices tout en assumant les multiples expériences qui l'enrichissent sans complètement la transformer.❖

The authors trace the history of the haitian communauty in Montreal giving an outlook of the two waves of immigration in the 50 and the 70. They point at the characteristics and status of haitian immigrants whose exile often coincided with their wish to return to their homeland and resulted in the adoption of strategies of survival contributing to the vulnerability of the community instead of its affirmation and solidarity.

Considering the young generation, the authors expose the dilemma facing haitian children and adolescents in their choice between two referential universes which norms and values are often in dire opposition. In order to integrate themselves and construct their identity, these adolescents will adopt strategies of either confrontation or negotiation. In their discussion, the authors further stress the consequences atttached to each strategy and the risk of marginalization either from the family or the receiving community that may result of both strategies.

Notes

1 Le bureau de la Communauté chrétienne des Haïtiens de Montréal et la Maison d'Haïti sont les deux plus anciens organismes de la communauté haïtienne de Montréal.

2 Pour une critique sur cet état de fait, il faut lire M. Labelle, dans *Ethnicité et Nationalismes. Nouveaux Regards,* UQAM, département de sociologie, 1993.

Références

Berry JW. Cultural relations in plural societies: alternatives to segregation and their sociopsychological implications. In: Miller N, Brewer M. *Groups in contact.* New York: Academic Press, 1984.

Chalom M. *Violence et déviance à Montréal.* Montréal: Ed. Liber, 1993.

Chancy M, Pierre-Jacques C. Problèmes scolaires et conditions socio-économiques des familles. In: *Enfants de migrants haïtiens en Amérique du Nord,* (Actes du Colloque) Montréal: Centre de recherche Caraïbes, Université de Montréal, 1981.

David HP. Involuntary international migration: adaptation and refugees. In: Brody EB. *Behavior in new environments.* Beverly Hills, CA: Sage Publications, 1969.

Dejean P. *Les Haïtiens au Québec.* Québec: Presses de l'Université du Québec, 1978.

Dejean P. *D'Haïti au Québec.* Montréal, CIDIHCA, 1990.

Dinello R. *Adolescents entre deux cultures.* Paris: CIEM l'Harmattan, 1985.

Jacob A, et al. *Interventions avec les immigrants et les réfugiés.*

Frenette Y. *Perception et vécu du racisme par des immigrantes et des immigrants haïtiens au Québec.* (Rapport no. 15) Montréal: Centre de recherche Caraïbes, Université de Montréal, 1985.

Laperrière A, et al. Relations ethniques et tensions identitaires en contexte pluriculturel. *Santé mentale au Québec* 1992;17(2):133-156.

Lavigne G. *Les ethniques et la ville: l'aventure urbaine des immigrants portuguais à Montréal.* Longueuil: Le Préambule, 1987.

Lum D, Cheung LY, Cho ER, Tang TY, Yau HB. The psychological needs of the Chinese elderly. *Social Casework* 1980;61(2):100-106.

Malewska-Peyre H. La crise d'identité chez les jeunes immigrés. *Annales de Vaucresson* 1978;15:157-183.

Moro, RM Principes théoriques et méthodologiques de l'ethno-psychiatrie: l'exemple du travail avec les enfants de migrants et leurs familles. *Santé mentale au Québec* 1992;17(2):71-98.

Murphy HBM. Migration, culture and mental health. *Psychological Medicine* 1977;7(4):677-684.

Vega WA, Kolody B, Valle JR. Migration and mental health: an empirical test of depression and risk factors among immigrate Mexical women. *International Migration Review* 1987;213:512-528.

Weinreich P. Psychodynamics of personal and social identity. In: Jacobson-Widding A. (Ed). *Identity: personal and sociocultural.* Stockholm, Almqvist & Wiksell, 1983.

Wood M. *Santé Culture.* Montréal: Ed. Girame, vol. 1, 1988.

P.R.I.S.M.E. hiver 1995, vol. 5, no 1

RÉSEAU DE SOUTIEN ET FAMILLES:
les bienfaits d'une retraite de fin de semaine

Monica ARNALDI
Erasmia GRILLAKIS
Fiorella IABONI

Traduit par
Denise Marchand

Monica ARNALDI, P.C.C., est conseillère en soins au service de pédopsychiatrie de l'hôpital Sir Mortimer B. Davis et elle est impliquée depuis 1990 auprès d'enfants traités à l' hôpital de soir de ce service.

Erasmia GRILLAKIS, B.ScN., infirmière psychiatrique diplômée de l'Université d'Ottawa, travaille dans le programme de traitement d'enfants en hôpital de soir de ce même hôpital depuis 1989.

Le soutien social est un concept qui a été beaucoup étudié et dont on a montré le caractère bénéfique, même si l'aspect multidimensionnel de cette notion rend difficile d'en mesurer précisément les effets (Thoits, 1982). Selon une de ses définitions les plus largement acceptées, le soutien social procure de façon rétroactive une information qui accroît la capacité de l'individu à répondre à ses besoins psychologiques et sociaux les plus fondamentaux (Caplan, 1974). On croit généralement que les personnes entourées d'un réseau de soutien s'engagent dans de meilleures pratiques de santé que celles qui ne disposent pas d'un soutien de cet ordre (Hubbard, Muhlenkamp et Brown, 1984). Langlie (1977) et Coburn et Pope (1974) ont eux aussi proposé qu'un réseau social étendu encourageait l'individu à s'impliquer davantage dans des pratiques de santé positives.

Les ressources procurées par de tels réseaux ont souvent été mises à profit par des familles dont l'un des membres était atteint d'un handicap physique ou d'un trouble psychologique. Par exemple, les groupes de soutien aux familles de patients cancéreux (Hope and Cope), aux familles d'alcooliques (Allanon) ou de malades mentaux (Alliance for the Mentally Ill - AMI) ont déjà connu et continuent d'avoir beaucoup de succès. Ces groupes offrent un lieu de rencontre et d'information, de même qu'un environnement dans lequel les membres d'une famille peuvent accroître leur pouvoir sur leurs conditions de vie et se libérer de

Le soutien social apporté à la famille est un moyen de renforcer son bien-être et d'accroître la créativité et les ressources de ses membres. Après avoir défini les postulats de base associés à la notion de soutien social, les auteures décrivent l'intervention clinique qu'elles ont tentée en organisant une retraite familiale d'une fin de semaine dans le but d'étendre le réseau de soutien des familles.

Treize familles dont les enfants sont traités en hôpital de soir au service de psychiatrie infantile de l'hôpital Général Juif Sir Mortimer B. Davis, ont participé à la retraite. Le rôle de l'équipe traitante et le processus de groupe sont exposés, de même que les retombées de cette intervention sur les familles associées dans ce réseau de soutien.

Fiorella IABONI, B.A., est inscrite au doctorat en psychologie à l'Université McGill et a été impliquée à titre de stagiaire en psychologie dans le traitement d'enfants et de familles adressés au Service de pédopsychiatrie de l'hôpital Sir Mortimer B. Davis de 1993 à 1994.

Denise MARCHAND a une maîtrise en études littéraires et elle travaille présentement à la traduction en français du livre de Paul Steinhauer «The least Detrimental Alternative».

la culpabilité et de la honte ressenties dans leur situation (Kassis, Boothroyd et Ben-Dror, 1992).

Par ailleurs, le soutien familial est décrit comme un processus qui permet à l'individu de choisir s'il utilisera ou non les ressources offertes par divers réseaux sociaux (Kane, 1988). C'est ainsi qu'à mesure qu'une réciprocité s'installe, celle-ci promeut et entretient un engagement émotionnel entre les membres du réseau. Ce soutien mutuel apporte conseil et rétroaction qui stimuleront en retour la prise d'initiatives et une plus grande mobilité à l'intérieur de la famille. En conséquence, ces bénéfices potentiels ne peuvent qu'augmenter le bien-être de la famille et améliorer le fonctionnement de chacun de ses membres.

Nous croyons pour notre part que l'implication de la famille représente un aspect crucial du traitement des enfants atteints de troubles affectifs ou du comportement. Des occasions sont donc offertes aux familles, telles que des sorties en famille, des groupes de soutien ou des groupes thérapeutiques pour la fratrie des patients traités dans notre unité de l'hôpital de soir. Notre programme prévoit aussi des rencontres régulières de thérapie familiale qui peuvent apporter des changements importants dans la famille. Nous souhaitions pourtant ajouter un élément au traitement qui soit de nature à accroître l'implication des familles tout en élargissant leur réseau de soutien. C'est pour rejoindre cet objectif qu'une retraite de fin de semaine fut organisée pour la première fois dans notre unité.

Mais comment ce projet de retraite familiale a-t-il pris naissance? D'abord, notre propre expérience clinique avec des familles nous conduisait à croire qu'elles pouvaient tirer profit d'un réseau de soutien plus étendu. En second lieu, le besoin qu'ont les parents d'être supportés a été largement décrit dans la littérature. Par exemple, Peterson et Kelleher (1987) ont montré comment les parents d'adolescents perturbés, à la recherche de soutien, se rencontraient et dînaient ensemble, ou encore planifiaient une fin de semaine à l'extérieur. Plus récemment, nous entendions des cliniciens de l'hôpital Windsor Western présenter cette idée d'une fin de semaine en familles, lors d'une conférence sur le thème «Traitement de jour chez les enfants: Courants nouveaux et Interventions» tenue à Toronto (Lewicki, Marr et Goyette, 1993).

Kane (1988) a identifié trois postulats de base au sujet du réseau de soutien familial que nous avons pris en compte en préparant ce projet. Le premier considère la famille comme un système à l'intérieur duquel ses membres interagissent tout en s'influençant mutuellement. Aussi, souhaitions-nous ouvrir la retraite à tous les membres de nos familles qui étaient donc invités et fortement encouragés à y participer. Nous voyions là une occasion pour chacun de s'engager vis-à-vis des autres et de se relier à un milieu. Il reste cependant que chaque famille était libre de décider, selon sa structure et sa composition, des membres qui participeraient à cette fin de semaine.

Un second postulat associé au soutien familial implique le facteur temps. Le processus au cours duquel se développe tout un pattern d'interactions entre la famille et le réseau social exige une période suffisante de temps (Kane, 1988). Nous avions donc décidé de tenir la retraite durant une fin de semaine; les familles passant plus de temps ensemble, les chances de rencontres et d'interactions se trouveraient augmentées d'autant. On sait que le temps passé ensemble est un élément qui facilite l'accès à des ressources de soutien.

Enfin, un réseau de soutien familial peut s'avérer positif et aidant, particulièrement si ses membres affrontent un même problème ou s'ils ont certains points en commun (Winch et Christoph, 1988). Il est certes inévitable que des interactions négatives surviennent dans un contexte social donné. A cet égard, des interactions telles qu'une rivalité entre frère et soeur, une discorde de couple ou un désaccord entre parents, qui ont pu surgir au cours de la fin de semaine, étaient moins considérées comme négatives mais plutôt comme des facteurs de stress.

Planification de la retraite

Voici, brièvement exposés, la composition du groupe qui a participé à cette retraite et le déroulement de l'intervention. Disons d'abord que toutes les familles ont un enfant qui fréquente l'hôpital de soir. L'unité reçoit des garçons et des filles âgés entre 8 et 12 ans souffrant de troubles affectifs et/ou du comportement et, pour la plupart d'entre eux, de difficultés de socialisation. Le programme comprend seize enfants qui viennent à l'hôpital après l'école deux fois par semaine, et nos objectifs principaux sont d'améliorer les relations sociales et de renforcer la cohésion familiale.

A l'automne 1993, l'équipe proposa donc quatre rencontres aux familles pour discuter du projet de retraite et de sa mise en place. C'est ainsi que les parents firent connaissance entre eux et avec les intervenantes qui les accompagneraient au cours de cette fin de semaine. Quelques familles partagèrent alors leurs préoccupations, à savoir que, dans certains cas, le coût de cette sortie représentait un poids au plan financier. Des activités de levée de fonds (une vente de gâteaux et une tombola), auxquelles s'associèrent l'équipe et les familles, furent aussitôt organisées dans le but de combler une partie des frais de cette sortie.

Durant ces rencontres de même qu'au cours des activités de levée de fonds, un processus d'interaction commença de s'établir entre les membres de l'équipe et les familles. Comme l'ont observé Kassis, Boothroyd et Ben-Dror (1990), le fait de s'appuyer et d'explorer des moyens de résoudre des problèmes confère un pouvoir aux familles, tout en amenant des liens à se créer entre elles.

Données sociodémographiques

Des 16 familles invitées à la retraite, 13 y participèrent, pour un nombre total de 47 personnes. Aux 13 patients identifiés, soit 2 filles et 11 garçons, s'ajoutaient sept soeurs et 6 frères âgés entre 4 et 13 ans. La composition du groupe de parents comprenait 9 mères et 12 pères dont la moyenne d'âge était de 39 ans. Ajoutons que la plupart des patients viennent de familles intactes dont la moitié environ ont un revenu de moins de 30,000 $ et l'autre moitié, un revenu supérieur à ce chiffre.

Site et déroulement des activités

La retraite de fin de semaine eut lieu en décembre 1993 à l'Interval, auberge située à Ste-Lucie (Québec). Chaque famille disposait d'une chambre pouvant loger de quatre à cinq personnes; des salles de bains communes étaient toutefois partagées par environ cinq familles. Parents et enfants prenaient leurs repas ensemble dans la salle à manger. Même si les repas étaient préparés par un personnel de cuisine, chacun devait aider à desservir et ranger après le repas. Nous avions à notre disposition deux grandes salles pour les rencontres, et trois animateurs étaient responsables d'organiser des activités récréatives, tels que des jeux de société à l'intérieur et des activités de plein air.

Un aspect important de la fin de semaine consista dans les rencontres de groupe, dont l'une avait lieu le vendredi soir, et l'autre, le samedi soir.

Presque tous les parents assistèrent aux deux rencontres où se trouvaient aussi présents les quatre membres de l'équipe. Les parents décidèrent cependant de ne pas y emmener les enfants qui restèrent à jouer ou encore à dormir dans leur chambre.

Le rôle de l'équipe d'intervention

L'équipe était composée d'une conseillère en soins psychiatriques, d'une infirmière psychiatrique, d'une interne en psychologie et d'une thérapeute occupationnelle. Rosenberg (1984) a souligné qu'un facteur important de l'efficacité d'un groupe de soutien tient dans la formation d'une cohésion entre les individus. Les membres de l'équipe utilisaient à cette fin différentes approches. Ainsi, pour accroître la communication entre les familles, les intervenantes organisèrent, d'une part, des activités structurées (jeux de coopération), mais elles proposèrent aussi des périodes de temps libres, ce qui permit aux uns et aux autres d'engager des contacts sur un mode plus spontané.

En plus d'encourager la participation, les membres de l'équipe tentaient d'installer un climat ouvert aux échanges On sait qu'une atmosphère d'ouverture encourage la confiance; l'anxiété se trouvant réduite, chacun peut se permettre de prendre des risques et faire preuve d'initiative et de ressources (Dimock, 1993). A ce propos, il avait été entendu au moment des rencontres de planification que les parents restaient responsables de leurs enfants et, qu'à ce titre, il revenait à chaque famille d'établir ses propres règles de fonctionnement. On remarqua toutefois que, durant les rencontres en soirée, les parents étaient capables de s'ouvrir à l'opinion des autres sans se sentir menacés, jugés ou blâmés.

Par ailleurs, même si les parents réglaient eux-mêmes les problèmes qui surgissaient, les membres de l'équipe se montraient disponibles pour apporter un conseil, si le besoin s'en faisait sentir. C'est ainsi que les intervenantes furent approchées à plusieurs occasions pour aider certains parents à évaluer, par exemple, les conséquences d'un écart de conduite chez l'un ou l'autre des enfants. Comme le suggèrent Kassis, Boothroyd et Ben-Dror (1992), l'équipe doit être attentive au processus de groupe, et travailler dans le sens d'accroître l'emprise de chacun sur sa situation.

Un autre aspect du rôle des intervenantes consiste en celui de se prêter comme modèles pour les autres participants. Selon Rosenberg (1984), le chef d'un groupe est moins un membre qu'un modèle pour le groupe. C'est ce rôle de modèle que prirent les intervenantes en faisant part de sentiments et en illustrant divers modes de soutien que les membres des familles rapportaient ensuite entre eux. Les membres de l'équipe firent aussi retour sur telle ou telle expérience vécue par la famille en proposant des interprétations et des clarifications à propos de divers aspects du fonctionnenent familial. De leur côté, les parents échangèrent sur les styles d'interactions qu'ils percevaient dans leur famille; ces discussions se sont ensuite poursuivies dans les thérapies familiales en cours. Enfin et toujours en tant que modèles, un autre but visé par l'équipe était d'apporter de l'information aux familles, sachant combien ceci peut aider à accroître la créativité de chacun et la capacité de prendre des initiatives.

Le processus de groupe familial

Le processus de groupe noté durant la fin de semaine en était un fondé sur la réciprocité. Cette notion implique que chacun des membres du groupe se trouve engagé dans un réseau de coopération mutuelle, tels que des gestes de partage fréquents entre les familles qui étaient portées à offrir de l'aide tout autant qu'à en accepter. D'ailleurs, cette qualité de réciprocité s'est manifestée dans le groupe dès la première rencontre; des conversations s'engagèrent entre les parents et ils en profitèrent pour discuter du programme d'activités à tenir les jours suivants. Selon Peterson et Kelleher (1987), les parents seraient davantage capables d'utiliser l'aide apportée par d'autres parents plutôt que par des professionnels, dans la mesure où le soutien procuré ainsi se situe à l'intérieur d'un rapport d'échange et de réciprocité.

Au moment de la seconde rencontre de cette fin de semaine, les parents avaient déjà développé des liens plus étroits, de telle sorte que les sujets abordés à ce moment étaient davantage révélateurs. Certains parents exposèrent alors des sentiments et firent part de leurs expériences autour de difficultés et de réussites dans l'éducation de leurs enfants. Étant donné que ces parents avaient un problème en commun (le fait d'avoir un enfant perturbé), on peut penser que ceci les incitait à se confier et à recevoir en retour les remarques et commentaires des autres parents. A un moment par exemple, un parent décrivit l'ouverture qu'il percevait dans le groupe à propos des suggestions offertes par les uns et les autres en matière d'éducation. Ce type de commentaire eut sûrement, entre autres effets bénéfiques, celui de réduire l'isolement et d'atténuer les sentiments de honte et de reproche qui pèsent si lourdement sur ces familles. De fait, plusieurs parents exprimèrent leur soulagement et se dirent rassurés en réalisant qu'ils n'étaient pas «les seuls» à vivre des difficultés.

Nous avons aussi observé que les familles abordaient entre elles des façons de gérer des situations de crise ou d'accomplir certaines tâches. A ce propos, il y eut au cours de la fin de semaine un incident entre les enfants qui obligea d'intervenir; les parents décidèrent alors collectivement de la conduite à tenir devant la situation. Enfin, les relations de confiance développées tout au long du processus entre les parents les amenèrent à partager entre eux les temps de surveillance des enfants, tout en se montrant efficaces dans les limites imposées aux jeunes.

Conclusion

Cette retraite de fin de semaine s'inscrivait dans un processus visant à étendre le réseau de soutien familial. Notre intervention s'est avérée aidante, si l'on se fie aux réactions des familles. Par exemple, l'une d'entre elles nous écrivit pour dire combien la retraite lui avait donné l'occasion de grandir de façon adaptée, autant sur le plan individuel qu'en tant que groupe. Plus précisément, elle commentait: «... *en tant que parents, nous nous sommes enrichis des conseils d'autres parents qui, comme nous l'avons clairement compris, essaient d'améliorer leurs relations tout comme nous... en travaillant ensemble à construire une unité familiale plus harmonieuse.*»

Afin d'explorer plus à fond les bienfaits retirés de cette fin de semaine, nous avons tenu des rencontres, un mois plus tard, en invitant chaque famille à faire retour sur l'expérience vécue durant la retraite. De façon générale, les familles reconnurent l'opportunité qu'elles avaient eue de donner et recevoir du soutien, tout en profitant de la supervision de l'équipe. Plusieurs familles suggérèrent que la retraite fasse partie du programme dans les prochaines années. Enfin, certains parents exprimèrent le désir qu'un réseau permanent de soutien soit mis en place. En réponse à cette demande, l'équipe organisa un groupe ouvert aux familles du programme, et des rencontres d'environ une heure et demie eurent lieu toutes les deux semaines entre les mois de mars et juin 1994. C'est au cours de ces rencontres que certaines familles, avec l'aide de l'équipe, planifièrent une deuxième retraite familiale projetée pour le mois de juin 1994.

Pour conclure, disons que notre approche n'a pas pour but de remplacer la thérapie familiale mais bien plutôt d'élargir les services offerts aux familles. En ce sens, il serait nécessaire de mener des recherches dans ce domaine du soutien familial si l'on veut mieux comprendre les bienfaits que peuvent retirer les familles de telles expériences.❖

It has been previously suggested that family social support is a valuable process which strenghens families' well-being by increasing their versatility and resourcefulness. A clinical intervention consisting of a family weekend retreat was organized in an attempt to expose families to a supportive network. Thirteen families of children being treated in the Child psychiatry section of the Psychiatry Department at the Sir Mortimer B. Davis - Jewish General Hospital, attended. The role of the staff and the family group process are discussed as well as the benefits of this therapeutic intervention on the families' social support network.

Références

Caplan G. *Support systems and community mental health: lectures on concept development.* New York: Behavioral Publications, 1974.

Coburn D, Pope CR. Socioeconomic status and preventive health behavior. *J Health Social Behavior* 1974;15:67-77.

Dimock H.G. *How to Observe Your group.* Captus Press Inc., 1993, 3e édition.

Hubbard P, Muhlenkamp AF, Brown N. The relationship between social support and self-care practices. *Nursing Research* 1984;33(5):266-270.

Kane CF. Family social support: toward a conceptual model. *Adv Nursing Science* 1988;10(2):18-25.

Kassis JP, Boothroyd P, Ben-Dror R. The family support group: families and professionals in partnership. *Psychosocial Rehabilitation J* 1992;15(4):91-96.

Langlie JK. Social networks, health beliefs and preventive health behavior. *J Health Social Behavior* 1977;18:244-260.

Lewicki JA, Marr K, Goyette A. *The family and community in day treatment.* Presented at the Children's Day Treatment: Interventions and Trends Conference, Toronto, 1993.

Peterson LE, Kelleher CC. Working with parents of disturbed adolescents: a multifaceted group approach. *Child Welfare* 1987;66(2):139-148.

Rosenberg P.R. Support Groups, A special Therapeutic Entity. *Small Group Behavior.* 1984, Vol. 15, no.2, 173-186.

Thoits PA. Conceptual, methodological and theoretical problems in studying social support as a buffer against life stress. *J Health Social Behavior* 1982;23:145-159.

Winch AE, Cristoph JM. Parent-to-parent links: building networks for parents of hospitalized children. *Children's Health Care* 1988;17(2):93-97.

Photographie, Réjean Gosselin, *La Petite Patrie.*

P.R.I.S.M.E. hiver 1995, vol. 5, no 1

À la jonction du clinique et du communautaire:
LA PRATIQUE DE RÉSEAUX

Luc BLANCHET

Lucie EDISBURY

Lise PETITCLERC

Le docteur Luc BLANCHET travaille comme consultant à la Direction générale de la santé publique du Ministère de la Santé et des Services sociaux tout en dirigeant, comme pédopsychiatre, le Service enfance-famille de l'hôpital Jean-Talon. Il est également formateur en intervention systémique et membre du Comité de la santé mentale du Québec.

On connaît l'importance de l'environnement social comme facteur de risque ou de protection pour la santé mentale de l'enfant. Il est cependant difficile d'agir sur ce déterminant majeur de la santé mentale au moyen d'interventions précises. Depuis une dizaine d'années, le Service enfance-famille du département de psychiatrie de l'hôpital Jean-Talon expérimente un modèle d'intervention qui met justement à contribution le milieu immédiat de l'enfant, tant pour la définition des problèmes présentés que pour la recherche de solutions: il s'agit de la pratique de réseaux. Cet article présente ce modèle. Il se divise en trois parties: le contexte d'intervention, la dynamique relationnelle au sein des réseaux et les apports spécifiques de l'intervention en réseau.

Le contexte d'intervention

Le Service enfance-famille est une équipe multidisciplinaire dont le mandat consiste à offrir des services externes de pédopsychiatrie à une population défavorisée sur le plan socio-économique. La diversité des appartenances professionnelles et des personnalités des membres du service fait en sorte que l'équipe se réclame tout autant de la théorie des systèmes que des théories psychodynamiques de la personnalité. La coexistence de ces

Les auteurs remercient Danielle Stanton, journaliste indépendante, qui a collaboré à la rédaction finale de cet article.

La pratique de réseaux est une forme d'intervention à la fois clinique et communautaire qui fait appel au potentiel de soutien social et affectif présent dans l'environnement social des jeunes en difficulté, et ce, tant pour la définition du problème présenté que pour la recherche de solutions.

Une étude menée au Service enfance-famille du département de psychiatrie de l'hôpital Jean-Talon a permis de faire ressortir des éléments nouveaux quant à la contribution des différents participants à ces interventions: l'enfant, la famille immédiate et la parenté, les amis, les professeurs et les autres intervenants professionnels. Les auteurs rendent compte du contexte et des modalités d'intervention, et au moyen de vignettes cliniques, ils discutent de la dynamique relationnelle qui s'établit au sein des réseaux de même que des apports spécifiques de cette pratique.

Lucie EDISBURY travaille comme psychologue depuis 20 ans. Elle est au Service enfance-famille depuis 1985 et elle exerce aussi en pratique privée.

Lise PETITCLERC est ergothérapeute et détentrice d'une maîtrise en Science clinique. Elle exerce au Service enfance-famille de l'hôpital Jean-Talon depuis 10 ans et elle enseigne aussi à l'Université Laval.

deux courants théoriques permet de légitimer, dans la pratique courante, plusieurs formes d'interventions dont les thérapies familiales, les thérapies de couple, les thérapies de groupes d'enfants et les psychothérapies individuelles d'enfants et de parents.

L'équipe en est par ailleurs venue à s'intéresser de plus en plus à la contribution de l'environnement social de l'enfant à son développement et au maintien de sa santé mentale. Un enfant, on le sait, évolue à l'intérieur de différents systèmes qui influent sur son bien-être quotidien: famille, école, réseau d'amis, etc.. L'équipe estime essentiel de prendre en considération l'impact de ces systèmes sur l'enfant et sa famille en mettant à contribution, chaque fois que cela paraît indiqué, les personnes significatives qui gravitent autour de ce noyau.

Cet intérêt de l'équipe pour l'apport de l'environnement social de l'enfant a favorisé l'émergence d'une pratique qui s'est progressivement formalisée sous l'appellation de *pratique de réseaux*. Elle s'est développée dans la foulée des mouvements sociaux qui visent à intensifier l'emprise des individus sur leurs conditions de vie (mouvement communautaire, féminisme, *empowerment*, etc.). L'intervention en réseau, étape centrale de cette pratique, réunit *dans un même temps et un même lieu* l'enfant, sa famille et les membres importants (désignés et consentants) de son réseau social (parenté, amis, voisins, gardiens, enseignants, etc.)[1], son objectif étant de cerner les contours véritables d'un problème et d'en rechercher les solutions les plus pertinentes.

C'est dans ce cadre que le Service enfance-famille a effectué une étude intitulée «*Évaluation d'un programme d'intervention en réseau offert à des enfants présentant des problèmes d'ajustement psychologique*».[2] Prenant appui sur les résultats de recherches antérieures (Blanchet et coll., 1981, 1984; Brodeur et Rousseau, 1984; Equipe d'intervention en réseau du C.H. Douglas, 1984), les membres de l'équipe posent l'hypothèse suivante: la réunion de personnes significatives autour de l'enfant au centre de l'intervention peut réellement concourir au mieux-être de ce dernier, ces personnes faisant à la fois partie du problème et de sa solution.

Au moment de l'expérimentation, les modèles de pratiques de réseaux connus s'adressaient à des populations adultes. Cette recherche constitue donc une première expérience d'évaluation des interventions en réseau effectuées auprès d'une population d'enfants.[3] Elle a un double volet: une étude d'impact et une étude d'implantation. Dans l'étude d'impact, la question de recherche posée est la suivante: «*Lorsqu'on applique un programme d'intervention en réseau auprès d'enfants présentant des problèmes d'adaptation psychologique, quels changements peut-on observer au niveau de l'adaptation psychologique de l'enfant, la définition et l'attribution du problème, l'environnement social de soutien de l'enfant et l'adaptation familiale? Ces changements sont-ils propres au groupe auquel on applique le programme?*»

Quant à l'étude d'implantation, on peut retenir, parmi les nombreux thèmes qui y ont été traités, des éléments d'analyse institutionnelle, incluant une phase de résistance au changement, une réflexion sur la modification du rôle de l'intervenant, la dynamique relationnelle qui s'établit au sein des réseaux et les apports spécifiques du modèle. Le présent article se limite à rendre compte de ces deux derniers éléments de l'étude d'implantation.[4]

Réseau social et santé mentale de l'enfant

Si le modèle transactionnel en psychologie du développement met l'accent de façon explicite sur la contribution de l'environnement au devenir de l'enfant, le concept plus précis de «*réseau personnel de l'enfant*» est, quant à lui, relativement récent. Quelques essais, publiés à la fin des années 70, en ont souligné l'importance: l'entourage fournirait à l'enfant des activités et des échanges de nature concrète, affective et cognitive. Il lui donnerait la possibilité de contribuer au maintien de son équilibre et le soutien pour faire face aux situations critiques (Cochran et Brassard, 1979; Feiring et Lewis, 1978). Les membres de la parenté contribueraient positivement à l'adaptation de l'enfant, et le réseau de la famille élargie également. De plus, le fait pour un enfant de maintenir des liens sociaux extra-familiaux durant une période post-divorce serait déterminant dans son adaptation à la situation (Cochran et Riley, 1985; Sandler et coll., 1984; Wolchik, Sandler et Braver, 1986).

Le bien-être psychologique et physique qu'un réseau peut fournir serait conditionné par plusieurs variables (structurelles, interactives etc.). Ainsi, l'étendue d'un réseau et sa faculté de favoriser l'autonomie influeraient sur le fonctionnement socio-émotionnel de l'enfant (Bryant, 1984). La multidimensionnalité (nombre de fonctions remplies par une personne) et le degré d'intensité des conflits à l'intérieur du réseau auraient un impact sur le rapport entre le soutien social et l'adaptation de l'enfant. Il existerait enfin une corrélation négative entre l'estime de soi de l'enfant et l'importance de la zone conflictuelle de son réseau social (Bouchard et Drapeau, 1991).

La pratique de réseaux

Le processus d'intervention qu'on nomme *pratique de réseaux* comprend quatre étapes: l'évaluation, la négociation, l'invitation, et l'intervention en réseau comme telle.

Évaluation de la demande et proposition d'intervenir en réseau L'enfant, sa famille et, à l'occasion, d'autres personnes significatives sont généralement déjà présents dès la première rencontre. C'est une étape déterminante, qui permet aux intervenants de dégager leurs premières impressions sur la nature du problème, les conflits sous-jacents, la qualité du soutien disponible dans le réseau social de l'enfant. C'est également à ce moment que l'enfant et sa famille peuvent saisir l'importance accordée par les intervenants au réseau; ils ne seront donc pas étonnés lorsqu'on leur proposera de réunir ce réseau. Un refus éventuel sera évidemment bien accepté et n'empêchera en rien la mise en place d'autres modalités d'intervention.

La négociation Les intervenants demandent aux membres de la famille de sélectionner les personnes qu'elles souhaiteraient voir présentes à la rencontre. Une discussion s'ensuit; souvent, elle conduit à l'exclusion de certaines propositions. Les invités seront ceux qui auront été retenus à la fois par l'enfant, les membres de sa famille et les intervenants responsables de l'intervention. Le processus de négociation peut s'enclencher dès la première rencontre mais il se déroule la plupart du temps au cours des rencontres subséquentes.

L'invitation Les membres de la famille s'occupent de faire les invitations. Ils sont les mieux placés pour convier leurs proches à une rencontre où il sera question de leurs propres problèmes. Ce sont surtout les mères, et quelquefois les enfants, qui se chargent de cette responsabilité.

L'intervention proprement dite *La définition du problème.* Les intervenants cèdent d'abord la parole à la famille qui consulte. Puis, les participants qui le désirent peuvent s'exprimer. On voit souvent apparaître ici des divergences quant à la perception du problème. Cette libre expression des opinions en présence des personnes concernées constitue la richesse même de l'intervention. Cette phase a aussi comme conséquence de «décibler» l'enfant, en déplaçant l'attention sur les divers enjeux liés à son environnement.

La collectivisation progressive. La nouvelle définition du problème conduit les membres du réseau à s'engager de façon variable. Il se produit une sorte de «mouvement» dans le réseau; plus il est centrifuge (allant du centre vers l'extérieur), plus les chances de réussite de l'étape de collectivisation sont grandes; au contraire, plus le mouvement est centripète (le focus reste dirigé sur l'enfant ou la famille nucléaire), moins la collectivisation réussira. Cette étape est centrale puisqu'elle vise à l'émergence d'une solidarité à l'égard du problème présenté ou porté par l'enfant.

La recherche de solutions. Cette phase est également caractérisée par la notion de mouvement, car celui-ci détermine l'orientation thérapeutique à privilégier. Les participants peuvent en effet proposer des solutions orientées, soit vers une mobilisation accrue du soutien social (mouvement centrifuge), soit vers une aide professionnelle spécifique (mouvement centripète). Les solutions peuvent aussi être complémentaires. Cette dernière phase se termine lorsque les participants en arrivent à proposer des pistes de solutions pour l'avenir.

DYNAMIQUE RELATIONNELLE AU SEIN DES RÉSEAUX

Même si la pratique du Service enfance-famille était déjà ouverte à la famille et aux systèmes humains plus larges, le fait de mener une recherche à la fois évaluative et participative a été déterminant dans l'établissement de la pratique de réseaux à l'intérieur du service. Au cours de l'expérimentation seulement, l'équipe a traité 21 demandes de consultation en misant sur l'environnement social de l'enfant. Lors des interventions en réseau, outre l'enfant et les intervenants à l'intérieur du Service, on a recensé entre 3 et 17 personnes. On note que 10 familles sur 21 ont fait appel à des oncles et des tantes, et 9, aux grands-parents de l'enfant; trois familles ont fait intervenir des cousins et cousines, et 15, des amis des parents (le plus souvent des amies de la mère); enfin, 6 familles ont fait appel aux amis de l'enfant. Par ailleurs, le tiers des familles, soit 7, ont demandé la participation du professeur ou du directeur d'école, et 2 ont sollicité la présence d'autres professionnels ou intervenants.

Au cours de cette démarche, les intervenants ont pu analyser les réactions de l'enfant, des parents, de la fratrie et des autres participants, autant lors de la négociation que de l'intervention comme telle. Chacun de ces acteurs a adopté une position particulière aux différentes étapes du processus. Nous relevons et commentons ici les principaux éléments de la dynamique relationnelle qui s'est installée au sein des réseaux.

L'enfant

Pendant les étapes d'évaluation et de négociation, l'enfant se retrouve au centre des interventions. L'équipe l'invite à occuper cette position centrale, valorisante pour lui. Elle lui signifie qu'il est important dans sa famille et qu'il l'est aussi pour d'autres personnes, et elle l'invite à identifier ces dernières. Les intervenants situent cette invitation dans une perspective d'aide pour lui, mais aussi pour ses parents. Bien que les enfants, particulièrement les plus jeunes, ne saisissent pas tous les enjeux d'une telle rencontre, ils se sentent reconnus comme sujets à part entière et manifestent beaucoup d'enthousiasme à la perspective de cette rencontre.

Lors de l'intervention en réseau, l'enfant prend, dans la très grande majorité des situations, la place qui lui revient. Certes, sa participation variera d'une intervention à l'autre, selon son âge, sa personnalité, la constitution du réseau, la nature des thèmes abordés et le niveau des discussions, mais on remarque que l'enfant sait toujours se positionner par rapport à ce qui se passe. De façon générale, il réagit avec sensibilité et beaucoup d'à-propos aux mouvements affectifs du réseau. S'il ne répond pas toujours d'emblée aux questions rationnelles posées par les adultes, il sait toutefois s'exprimer. Que ce soit par la parole ou le geste, il se fait entendre quand il se sent en confiance. L'intervention en réseau réunissant par définition des personnes qui sont attentives à ce que vit l'enfant, celui-ci peut habituellement y prendre sa place et jouer son rôle d'enfant occupé à grandir.

Les parents

De façon générale, lors de la négociation, la mère accepte facilement de nommer des invités qui seraient pertinents et soutenants pour son enfant. Cette acceptation peut toutefois s'accompagner chez elle d'une certaine appréhension: elle pressent qu'elle sera au coeur des échanges et elle craint que la perception du problème ne se déplace et qu'elle en devienne la nouvelle cible. Néanmoins, lors de l'intervention, elle collabore très bien aux échanges et se montre ouverte aux différentes idées émises par les autres participants. Qu'il s'agisse de nouvelles perceptions quant au problème discuté, d'opinions concernant son enfant, de suggestions éducatives à son adresse ou de propositions de solutions, la mère accueille bien ces nombreux commentaires.

Il peut arriver aussi que la mère se retrouve dans une position inconfortable vis-à-vis de sa famille d'origine; elle devient alors l'«enfant» visée (télescopage du passé et du présent). Ce mouvement, pour être thérapeutique, doit se faire dans de bonnes conditions. En particulier, il est essentiel de prévoir la présence de personnes qui pourront soutenir affectivement la mère: l'important est qu'elle ne se sente pas seule sous les projecteurs, envoyée au banc des accusés. Les intervenants en réseau doivent donc être sensibles à ce risque, et faire en sorte de créer un mouvement centrifuge pour éviter que l'attention des participants ne soit dirigée uniquement sur la mère.

Quant au père ou au conjoint, il reste souvent en retrait ou du moins en périphérie lors de la négociation. Aussi son attitude, lors de l'intervention en réseau, est tantôt réservée, tantôt critique, parfois même accusatrice. Dans notre étude, seulement la moitié des pères ou conjoints étaient présents lors des interventions. Ces faits nous renvoient à la distribution des rôles de l'homme et de la femme, et à l'équilibre père-mère au sein de la famille. Qu'il s'agisse d'une famille monoparentale ou recomposée, le questionnement sur l'institution familiale constitue souvent la toile de fond sur laquelle l'intervention en réseau se dessine.

La fratrie

Lors des interventions, la fratrie a occupé des rôles parfois opposés, allant d'une position périphérique, presque distante, à une position parfois envahissante. Pour ce qui est des adolescents, la majorité d'entre eux s'est distanciée des problèmes de leur frère ou de leur soeur. Par ailleurs, les frères et soeurs du même âge que l'enfant au centre de l'intervention se sont sentis davantage concernés. Leur mobilisation s'est faite sur différents modes et registres affectifs et leur participation a été variable.

Les autres participants

Les autres participants (parents maternels ou paternels, amis de l'enfant, autres professionnels, etc.) occupent une position particulière au sein du réseau: ils apportent, selon le cas, leurs connaissances, leurs perceptions, leur amitié ou leur soutien. De façon générale, ces participants ont favorisé une compréhension différente et plus globale des problèmes. Les amis de l'enfant en particulier ont fait preuve d'empathie, ce qui a permis à ce dernier de mieux accepter des commentaires parfois difficiles à entendre. Il a cependant été compliqué de recruter des enfants amis; leur apport est trop souvent sous-estimé dans une telle démarche.

Les amis adultes jouent d'emblée un rôle de soutien auprès des parents et manifestent également beaucoup d'ouverture. Par leurs liens d'amitié avec les parents, ils ont été ceux qui provoquaient, avec le plus de tact et d'empathie, une compréhension plus large et souvent plus juste du problème.

Par ailleurs, l'apport de la parenté s'est avéré plus mitigé. De façon majoritaire, les oncles et les tantes présents à l'intervention en réseau se sont dits heureux de participer à une démarche collective et satisfaits de mieux cerner l'action future qu'ils pourraient entreprendre. La présence des grands-parents a parfois mis en perspective la différence entre les générations. En fait, autant l'enfant que le parent ont pu bénéficier de ce regard transgénérationnel. Toutefois, le rassemblement des grands-parents, des oncles et des tantes peut avoir pour effet de recréer une cellule familiale ayant sa propre dynamique, où les tensions encore très vives prennent le pas sur le processus de collectivisation.

Enfin, la présence de professionnels provenant des divers réseaux de services (professeur, responsable de garderie etc.) constitue généralement un atout; plusieurs ont suggéré des solutions concrètes, réalisables dans leur milieu. Leur présence soulève cependant quelques interrogations: ainsi, lorsque le réseau est étendu, les parents peuvent ressentir un inconfort à partager avec eux leur intimité familiale. De plus, la présence de visions professionnelles parfois divergentes peut accentuer les polarisations à l'intérieur du réseau. C'est le rôle des intervenants de favoriser l'équilibre entre l'expression des divers points de vue en présence.

En somme, quelles que soient l'étendue et la composition du réseau personnel de l'enfant, l'expérience indique qu'il est nécessaire de promouvoir un équilibre dynamique entre les allégeances des différents participants à l'intervention.

APPORTS DE L'INTERVENTION EN RÉSEAU

Quel est l'apport spécifique de la pratique de réseaux au champ clinique? De façon résumée, cette pratique favorise l'expression de définitions multiples et parfois contradictoires du problème, ce qui aide l'intervenant et la famille à en comprendre plus rapidement la véritable nature. Elle fait émerger le soutien social disponible dans le réseau, rend possible des interventions thérapeutiques ponctuelles à l'intérieur de celui-ci, et enfin, elle pourra mettre en évidence les réseaux à l'intérieur desquels le soutien social est inexistant. Considérons chacun de ces apports à l'aide d'une courte illustration clinique.

Une meilleure compréhension du problème Les opinions exprimées lors d'une intervention en réseau empruntent souvent des directions variées, voire contradictoires. Ceci a l'avantage de permettre à l'intervenant d'envisager le problème sous des angles multiples. Aussi, le fait pour celui-ci d'assister en direct aux échanges entre l'enfant, sa famille et les autres personnes importantes de son environnement social, lui fournit des indices précieux qui l'aideront à en arriver à une compréhension plus juste et globale de la situation.

Cet accès à un éventail de définitions du problème profite également à la famille, et principalement aux parents. En effet, les parents capables de recevoir des perceptions différentes des leurs et des commentaires parfois critiques, élargissent leur compréhension de la situation. Dans ce processus, les membres du réseau prennent souvent le relais de l'intervenant pour «décibler» l'enfant ou aider les parents à le faire. Il est d'ailleurs courant que l'intervention en réseau donne lieu à un «ré-étiquetage» positif de l'enfant et à un «recadrage» du problème.

> *Stéphane présente des problèmes de comportement. Ses parents décident de consulter. Ils souhaitent au départ des entrevues individuelles mais acceptent l'idée d'une intervention en réseau. Ils abordent la rencontre en exposant leurs inquiétudes vis-à-vis des échecs scolaires de Stéphane, et relèvent notamment chez lui son manque de ténacité, de concentration et de mémoire. Des participants à l'intervention expriment leur désaccord; au contraire, l'enfant aurait fait montre avec eux d'une grande capacité de mémorisation. Ils émettent l'idée que les résultats peu satisfaisants de Stéphane pourraient être en lien avec la personne ou le professeur qui exige le rendement.*

> *Les participants tentent alors de départager les différents niveaux de responsabilité relativement au problème présenté; Stéphane est graduellement moins visé. Puis, on en vient à faire allusion aux différences importantes entre les deux parents; la mère est plus émotive, le père, plus rationnel. Bientôt, l'échec scolaire de Stéphane apparaîtra sous un jour nouveau, celui des différences éducatives qui existent au sein du couple.*

> *À la suite de l'intervention, les parents délaissent l'idée d'entrevues individuelles pour leur fils, et soulèvent plutôt la possibilité d'entrevues de couple. L'intervention en réseau a permis d'apporter un éclairage nouveau sur le problème, facilitant ainsi l'orientation thérapeutique à suivre dans ce cas.*

L'émergence du soutien social disponible dans le réseau

L'intervention en réseau, à la différence de l'aide professionnelle habituelle, fait souvent émerger le soutien social disponible dans l'environnement: aide matérielle (gardiennage, partage de tâches domestiques, etc.), appui affectif à l'enfant ou à ses parents, etc..

> *La mère de Catherine juge sa fille agressive à son égard et isolée à l'école; elle décide de consulter. Les parents de Catherine sont séparés depuis huit mois. Catherine vit seule avec sa mère. Les deux premières rencontres mère-fille mettent au jour trois difficultés: la réaction négative de Catherine à la séparation de ses parents; une relation mère-fille tendue; une déception de l'enfant devant le peu d'attention reçue de son père. L'offre d'une intervention en réseau est acceptée.*

> *Le parrain de Catherine, frère du père, prend la parole lorsque la relation problématique avec le père (absent) est abordée. Il décrit son frère comme un «ours mal léché» qui aime sa fille mais éprouve de la difficulté avec ses sentiments. Il en-*

chaîne sur la démarche qu'il a lui-même entreprise, et qui lui a permis de mieux apprivoiser ses propres sentiments. Le parrain et la marraine encouragent Catherine et élaborent ensuite avec elle des stratégies pour lui permettre de se rapprocher de son père. La marraine lui propose un suivi téléphonique afin de revoir avec elle le résultat de ses démarches.

Ce rapprochement avec ses parrain et marraine est fort bénéfique pour Catherine: elle reçoit beaucoup de soutien. Sa mère n'hésite pas à reconnaître ouvertement les bienfaits de ce soutien susceptible d'aider Catherine à améliorer la relation avec son père et de diminuer les tensions entre elle et sa fille.

Une possibilité d'interventions thérapeutiques ponctuelles à l'intérieur du réseau

Lors de plusieurs interventions en réseau, il a été possible d'intervenir directement auprès d'autres participants en abordant, soit des éléments de leur dynamique personnelle, soit leur mode relationnel avec d'autres membres du réseau. Ces actions thérapeutiques, limitées mais stratégiques, portant sur des individus ou des sous-systèmes en déséquilibre, n'auraient pas été possibles hors du cadre d'une intervention en réseau. En voici un exemple:

Valérie a été victime d'inceste. Sa mère demande un suivi psychothérapique pour elle. Après une rencontre avec la mère et la fille, on propose de réunir une partie significative de leur réseau.

Le grand-père est présent. C'est la première fois depuis les événements qu'il accepte de revoir sa fille et sa petite-fille. Il raconte qu'il habitait avec le père de Valérie et que l'histoire s'est déroulée sous son toit, sans qu'il ne s'en soit rendu compte. Il verbalise les émotions qu'il a vécues (colère contre son ex-gendre, culpabilité et honte envers sa fille et sa petite-fille, du fait de n'avoir rien soupçonné...). Il a d'ailleurs été victime d'une crise cardiaque, peu de temps après les événements. Il souhaitait reprendre contact avec sa fille; l'intervention en réseau, en présence d'intervenants «neutres», lui est apparue comme une bonne occasion. La rencontre devient donc pour lui le lieu d'une véritable catharsis.

Cette intervention thérapeutique ponctuelle auprès d'un des membres du réseau a permis la libération d'un secret, de même que d'engager une meilleure communication entre les sous-systèmes. Grâce au soutien des membres du réseau, le grand-père a pu redevenir présent sur le plan affectif auprès de sa fille et de sa petite-fille.

Mettre en évidence les réseaux où le soutien social est inexistant

L'intervention en réseau n'a pas toujours comme effet de mobiliser le soutien social, soit en raison de l'étendue très limitée du dit réseau, ou de l'incapacité de celui-ci à remplir cette fonction (absence de liens significatifs entre les membres du réseau et la famille, liens conflictuels). L'intervention est néanmoins révélatrice, en ce sens qu'elle permet à l'intervenant de comprendre les mécanismes relationnels propres à ces familles et à leurs réseaux.

Olivier est dépressif à la suite de la séparation de ses parents. Sa mère consulte. Elle semble possessive dans son rapport avec son fils, mais ce dernier paraît néanmoins exercer un immense pouvoir sur elle.

Lors de la rencontre en réseau, les échanges se concentrent rapidement sur la situation de séparation que tous les membres invités ont vécue. Tous le reconnaissent: les enfants sont souvent victimes des séparations, et c'est le cas d'Olivier. Le message final adressé à la mère est cependant le suivant; elle doit passer comme eux à travers cette situation pénible, et seul le temps arrange les choses. Aucun soutien ne lui est offert, ni affectif, ni instrumental.

Cette intervention permet de mesurer l'isolement affectif de la mère et donne un sens au lien particulier qu'elle entretient avec son fils. Elle met aussi en évidence les clivages existant au sein du système familial, qui sont révélateurs des mécanismes relationnels présents entre la mère et son entourage. La mère se mobilisera par la suite pour prendre en main sa situation.

La pratique de réseaux développée au Service enfance-famille de l'Hôpital Jean-Talon au cours de la dernière décennie constitue un modèle d'intervention original dans le domaine de la santé mentale de l'enfant. Avec des nuances dans les modalités d'intervention, elle s'est révélée applicable à la majorité des problématiques cliniques rencontrées en pédopsychiatrie. En favorisant la participation des réseaux concernés dans la prise en charge des problèmes présentés par l'enfant, cette pratique se situe à la jonction du clinique et du communautaire. En effet, la contribution de l'environnement social de l'enfant, loin d'être une vision purement théorique, se déploie ici jusque dans l'intervention clinique. Si les lectures psychodynamique et systémique de la réalité y font bon ménage, le réseau personnel de l'enfant demeure cependant la pierre angulaire du modèle.

Il s'agit d'une intervention qui porte sur le tissu micro-social où se détermine en bonne partie la santé mentale de l'enfant. Outre la participation des populations concernées, le modèle mise aussi sur l'entraide et le renforcement du soutien social disponible dans la communauté. En ce sens, il rejoint quelques-unes des stratégies les plus fondamentales du mouvement contemporain de promotion de la santé.❖

The network treatment approach has both clinical and community aspects. By tapping the social and emotional support systems already existing in their milieu, we can better define and resolve the problems of young people undergoing emotional difficulties. A study held at the Child and Family Service of Jean-Talon Hospital has underscored the specific contributions of various participants in network interventions: the child, the immediate and extended family as well as friends, teachers and other professionals. The present article looks further into the context and the modalities of network intervention, analyzing through several cases, the dynamic interplay of its network members and the specific benefits of this approach.

Notes

1 La présence d'au moins une personne extérieure à la "maisonnée" et n'ayant pas de lien biologique de première génération avec l'enfant est nécessaire pour que l'on puisse parler véritablement d'intervention en réseau. Cette définition minimale démarque l'intervention en réseau de l'intervention familiale. Il est également important de différencier l'intervention en réseau de l'intervention communautaire. A la différence de l'intervention proprement communautaire, l'intervention en réseau s'adresse à des problématiques cliniques présentées par des individus.

2 Cette étude, subventionnée par le Conseil québécois de la recherche sociale, a été réalisée de 1988 à 1990 en collaboration avec le Laboratoire de recherche en écologie humaine et sociale (LAREHS) de l'Université du Québec à Montréal. Au moment de l'expérimentation, les personnes suivantes ont participé à l'étude : Luc Blanchet, pédopsychiatre et chercheur principal, Camil Bouchard, psychologue et chercheur associé, Louise Corbeil et Chantal Daumas-Saab, travailleuses sociales, Annie Devault et Sylvie Drapeau, agentes de recherche, Lucie Edisbury, psychologue, Jean-Pierre Fourez, psycho-éducateur, Yvonne Geoffrion, agente de recherche, Carol Le Bel, psychologue, Lise Petitclerc, ergothérapeute et Pierre H. Tremblay, pédopsychiatre.

3 Il s'agit de garçons et de filles âgés entre 6 et 12 ans.

4 Pour de plus amples informations concernant les autres composantes de l'étude d'implantation, on peut se référer à l'article suivant : Blanchet, L.; Daumas-Saab, C. et Corbeil, L., "L'intervention en réseau auprès d'enfants en difficulté : la transformation d'une pratique", à paraître dans Nouvelles pratiques sociales. En ce qui a trait aux résultats de l'étude d'impact, un autre article est en voie de publication : Drapeau, S. et Blanchet, L., "Evaluation of a Network Intervention Program for Children with Psychological Adjustment Problems". Il est également possible de consulter: Blanchet, L. et coll. (1991), "Evaluation d'un programme d'intervention en réseau offert à des enfants présentant des problèmes d'ajustement psychologique", rapport de recherche déposé au CQRS.

Références

Anctil H. La communication stratégique. In: *Promotion de la santé: concepts et stratégies d'action.* (Cahier no. 2 de la collection Promotion de la santé de la revue Santé Société) Québec: MSSS, 1990:71-78.

Blanchet L, Laurendeau MC, Perreault R. *La promotion de la santé mentale.* (Cahier no. 5 de la collection Promotion de la santé de la revue Santé Société) Québec: MSSS, 1990.

Bouchard C. Lutter contre la pauvreté ou ses effets? les programmes d'intervention précoce. *Santé mentale au Québec* 1989,14(2):138-149.

Bouchard C. *Un Québec fou de ses enfants.* Québec: Groupe de travail pour les jeunes, MSSS, 1991.

Charte d'Ottawa pour la promotion de la santé. *Health Promotion* 1987;1(4):3-5.

Gouvernement du Québec. *La politique de la santé et du bien-être.* Québec: MSSS, 1992.

Gouvernement du Québec. *La protection de la jeunesse: plus qu'une loi.* Québec: Groupe de travail sur l'évaluation de la loi sur la protection de la jeunesse, 1992, 191p.

Gouvernement du Québec. *La protection sur mesure: un projet collectif.* Québec: Groupe de travail sur l'application des mesures de protection de la jeunesse, 1991. 256p.

Hertzman C. The lifelong impact of childhood experiences: a population health perspective. In: *Disparities in health status: expert seminar and rountable.* Toronto: Federal/Provincial/Territorial Advisory Committee on Population Health, 1994.

Jutras S, Bisson J. La conception de la santé chez des enfants de 5 à 12 ans: quelques clés pour la promotion de la santé. *Sciences sociales et santé* 1994;12(2):5-37.

Kishchuk N, Laurendeau MC, Desjardins N, Perreault R. Parental support: effect of a mass-media intervention. *Can J Public Health* [sous presse].

Laurendeau MC, Gagnon G, Desjardins N, Perreault R, Kishchuk N. Evaluation of an early mass media parental support intervention. *Am J Primary Prevention* Spring 1991.

Perreault R, Laurendeau MC. Télésanté. *Santé du Monde* 1989;3(89):3-5.

STRATÉGIES DE COMMUNICATION
et promotion de la santé mentale

Robert PERREAULT

Robert PERREAULT est psychiatre et chercheur en santé publique dans le domaine de la promotion de la santé. Professeur-adjoint de psychiatrie à l'Université McGill, il est aussi chef du Service de médecine préventive de l'hôpital Maisonneuve-Rosemont et membre fondateur du Centre de recherche en promotion de la santé de Montréal.

L'une des questions centrales de notre époque est la difficulté qu'éprouvent les familles à définir des valeurs claires et à s'assurer de la transmission de ces valeurs aux enfants à travers leur amour mais aussi à travers leur capacité d'éduquer. Parmi ces valeurs, on doit identifier la représentation de la santé mentale et des composantes du processus par lequel on vit en bonne santé mentale. Plusieurs causes peuvent expliquer cette dérive et son impact sur la santé mentale des enfants. Par exemple, une étude récente (Jutras et Bisson, 1994) sur la représentation du concept de santé mentale chez l'enfant montre que moins du quart des enfants âgé entre 5 et 12 ans de classe moyenne ont une représentation claire de ce qu'est la santé mentale. Pour expliquer cette observation, les auteurs évoquent l'absence d'échanges à ce sujet dans la famille.

Si on tient compte des stress qu'exercent sur la famille des déterminants reconnus de l'état de santé comme la pauvreté et l'éclatement de la famille, on peut croire que la notion de santé mentale et les stratégies qui y sont associées ne font pas souvent partie du répertoire de vie des enfants. En effet, plus de 50% des familles monoparentales vivent sous le seuil de pauvreté, et les enfants de ces familles vont augmenter en nombre à mesure qu'augmente le nombre de familles à parent unique. Dans les familles où les deux parents sont présents, les charges imposées par l'obligation pour le couple de travailler limite le temps disponible aux enfants.

Il résulte de ces bouleversements des conditions de vie familiale que plusieurs jeunes enfants doivent être gardés dans trois, quatre et

Cet article explore l'intégration de la communication stratégique à l'ensemble des stratégies mises au service de la promotion de la santé mentale des enfants et de la famille. En contraste avec la tradition clinique, les approches populationnelles sont examinées, plus spécifiquement en ce qui touche le rôle que joue la communication dans une perspective d'écologie sociale de la promotion de la santé mentale. Des exemples de programmes qui exploitent des techniques de communication dans un tel contexte sont présentés. Ces exemples débouchent sur une analyse du nouveau rôle que doivent jouer les professionnels de la santé en matière d'information à la population et des exigences de ce nouveau rôle en matière de communication.

même cinq endroits différents chaque semaine. Ces difficultés, et les stress qui s'y rattachent, se voient amplifiés dans les familles où un membre souffre d'un trouble mental. Pourtant, la société n'arrive pas à trouver de consensus quant à la résolution de ces problèmes (Bouchard, 1989). L'impact des expériences précoces sur la santé future, le bien-être et la «compétence» fait l'objet d'une preuve scientifique plus diversifiée, plus profonde et mieux articulée que jamais auparavant (Hertzman, 1993). Les démonstrations de la force des approches préventives sont également convaincantes (Blanchet et al., 1990; Groupe de travail pour les jeunes, 1991). En dépit de cette lourde preuve, le flottement actuel de notre société, son incapacité d'orienter l'action en faveur des enfants et d'investir dans leur bien-être futur, rendent urgente l'implication des professionnels de la santé et des groupes de pression dans le développement des efforts de prévention et de promotion de la santé mentale des enfants.

Malheureusement plusieurs obstacles demeurent. Certains sont externes aux services de santé et relèvent de la structure de la société et de sa difficulté à proposer des politiques publiques adéquates. D'autres interpellent plus directement les professionnels de la santé mentale. Nous consacrons ce texte à l'examen du rôle d'une stratégie importante en prévention, la communication stratégique, en matière de santé mentale des enfants et des familles.

CULTURE «PSY» ET APPROCHES POPULATIONNELLES

Toute approche de promotion de la santé utilisant la communication stratégique (c'est-à-dire, la communication dédiée à l'atteinte d'un objectif) repose sur une logique épidémiologique ou de «population». En santé mentale, les approches de population vont contre nos traditions et nos idéologies. La culture «psy» en est une de cabinet, d'entrevues, de relation individuelle entre un patient et son thérapeute. Et aussi de résultats souvent imprécis. La culture «secteur», tout particulièrement en France, aux États-Unis et au Québec, propose une prise en charge globale qui, en principe, devrait inclure la prévention et la promotion de la santé mentale. Malheureusement, le secteur perpétue encore souvent l'analyse strictement clinique et les rapports anecdotiques empruntés au paradigme psychanalytique, même si les connaissances actuelles permettraient d'aller plus loin.

Cette tradition clinique a orienté le discours sur la santé mentale dans une direction bien éloignée de la prévention et de la promotion de la santé. De Freud à Lacan, de Pinel à Foucault, c'est notre fascination pour la folie et notre implication dans l'«industrie de la folie» qui ont dominé la pensée. Cet état de choses évolue rapidement à la lumière de la profonde remise en question provoquée par l'état actuel du système de santé. En effet, c'est à cause de la nécessité de contrôler les coûts qu'on considère maintenant la prévention et la promotion de la santé mentale comme des objectifs légitimes. L'état de crise engendre, paradoxalement, une sensibilité plus grande à l'égard de la qualité de vie des gens et amène à proposer une vision enrichie de la santé mentale.

Promotion et prévention

Les approches de population qui nous intéressent se réalisent à travers la prévention primaire et la promotion de la santé mentale. Elles ont en commun d'être orientées vers les collectivités, d'être pro-actives, d'exploiter des stratégies et des méthodes multiples et complémentaires, et de reposer sur le partage du pouvoir d'action entre les intervenants, les communautés et les décideurs publics. Ces approches diffèrent d'abord par leur objectif, la prévention visant la réduction de l'incidence des problèmes, et la promotion, l'accroissement du bien-être personnel et collectif. En prévention, les moyens mis en oeuvre contribuent à réduire ou éliminer les facteurs de risque alors que la promotion cherche à développer les conditions sociales favorables à la santé et les facteurs individuels de protection (Blanchet et al., 1990).

Au niveau populationnel, la réduction du risque s'apprécie sur une base statistique alors qu'au niveau clinique, elle s'apprécie sur une base individuelle et subjective. Cette distinction entraîne une logique et des moyens d'intervention très différents. Par exemple, les actions populationnelles de prévention et de promotion de la santé mentale mettent l'accent non pas sur les différences individuelles propres à l'approche clinique mais sur les similitudes interindividuelles.

Ce sont, en effet, les expériences et les conditions de vie partagées par un groupe humain qui peuvent le mieux faire l'objet d'actions préventives et d'actions promotionnelles. Par «action préventive», on entend l'action sur les facteurs de risque dans le but de prévenir l'apparition d'une maladie ou d'une dysfonction. Par «action promotionnelle», on entend l'action sur les déterminants de la santé dans le but de stimuler la robustesse des individus et leur capacité à résister aux assauts de l'existence. Des conditions comme le deuil, la monoparentalité, le chômage prolongé, la pauvreté et l'organisation stressante du travail contribuent toutes à l'émergence de troubles mentaux chez ceux qui sont vulnérables, ou à l'augmentation de la détresse psychologique dans la population générale. Ces stresseurs peuvent aussi affecter les enfants, soit directement, soit indirectement, en les privant de repères sur ce qu'est une bonne santé mentale, comme le suggèrent les résultats de Jutras

(1994). À l'inverse, l'entraide, la capacité de résoudre des problèmes et d'exprimer des émotions de même que des conditions de vie favorables (revenu, travail, etc.) contribuent à l'amélioration de la santé mentale et sont susceptibles d'agir comme facteurs de protection.

Photographie, Claire Beaugrand Champagne.

Les interventions populationnelles sont généralement moins puissantes, pour la plupart, que les interventions à caractère individuel intensif. Leur force réside dans le grand nombre de personnes qu'elles rejoignent. Souvent, l'amélioration modeste de certaines variables se traduit par des gains importants pour la santé publique.

ENFANT, SANTÉ MENTALE ET COMMUNICATION

La communication stratégique est une des grandes avenues de la promotion de la santé et de la prévention. En quoi cette stratégie peut-elle faciliter la promotion de la santé mentale de l'enfant? Si c'est «par ses techniques que la communication peut le mieux servir la promotion de la santé» (Anctil, 1990), quelles sont les idées, les moyens et les techniques utiles pour améliorer la transmission des messages entre groupes et individus spécifiquement impliqués dans des démarches de promotion de la santé mentale des enfants?

Fondamentalement, la communication se résume à la formule classique: qui? - dit quoi? - à qui? - par quel canal? - avec quels effets? On a l'habitude de distinguer la communication «interpersonnelle», celle dont la principale caractéristique est le feedback (possibilité de transmettre une réaction qu'utilise l'interlocuteur pour adapter sa répartie), et la communication «impersonnelle», généralement associée à la communication de masse.

C'est à cette seconde forme de communication qu'on a généralement recours lorsqu'on s'adresse à des grands groupes. Cependant, la tendance actuelle, nous le verrons, vise à intégrer d'autres formes de communication, de façon à «personnaliser» les messages.

La promotion de la santé, comme l'observe Anctil (1990), repose sur la médiation permanente entre l'individu et son environnement, médiation qui appelle forcément une interactivité qu'on n'associe pas à la communication de masse. Cette limite doit donc être dépassée. Le développement des technologies de communication est en train de transformer notre conception de la communication de masse. Les grandes campagnes de type publicitaire que nous avons connues en santé font maintenant place à des stratégies plus diversifiées qui mettent à profit de nombreux canaux d'échange. Il en résulte une communication de masse de plus en plus interactive et souvent personnalisée. Ce mouvement est tributaire de l'évolution, entre autres du micro-marketing où la segmentation fine des publics cible et la personnalisation des messages priment sur le placardage de masse.

C'est ainsi que l'on voit émerger des programmes de promotion de la santé qui intègrent diverses techniques de communication de façon à rejoindre divers publics. Ces techniques nous sont familières: il s'agit de la publicité, des relations publiques (relations de presse et collaborations avec les médias ou certains organismes ou sociétés), de la participation à des activités communautaires, et de la production et diffusion de documents de toute nature. Plus récemment, des approches de publipostage, de télévision interactive, de communication informatique (Perreault et Laurendeau, 1989) et plusieurs autres innovations sont venues s'ajouter au répertoire des moyens. Ce sont ces techniques que nous sommes maintenant en mesure de mettre au service de la promotion de la santé des enfants.

Le cas du «Rapport Bouchard»

Un cas récent d'application de ces stratégies sophistiquées à la promotion de la santé des enfants nous est offert par le phénomène de médiatisation du «Rapport Bouchard» (1991). Ce document a paru en même temps que deux autres rapports sur la jeunesse commandés par le Ministre de la santé du Québec: le «*Rapport sur l'application des mesures de protection de la jeunesse*» (1991) et le «*Rapport sur l'évaluation de la loi sur la protection de la jeunesse*»(1992). Cependant, c'est du Rapport Bouchard dont on se souvient, et c'est ce même document qui a donné naissance à la nouvelle légitimité pour la prévention et la promotion de la santé mentale des enfants. Pourquoi le Rapport Bouchard est-il arrivé à se démarquer de la sorte?

Une analyse des processus de communication qui ont prévalu lors de la diffusion des travaux du Groupe de travail pour les jeunes, dont le «Rapport Bouchard» est le fruit, illustre les considérations plutôt abstraites qui précèdent.

«Qui?» Bien sûr, le commanditaire du Rapport Bouchard était le Ministre de la santé et, bien sûr, les auteurs étaient un groupe de travail composé de professionnels, de chercheurs et de représentants de la communauté. Mais fondamentalement, le véritable «qui?» était incarné par le professeur Bouchard dont la vivacité télégénique, le sens de la répartie et la volonté de se consacrer entièrement à la cause des enfants ont assuré la notoriété du document. La Source n'était plus le ministre déléguant un groupe de professionnels représentatifs de l'univers de la jeunesse et travaillant sous la direction d'un président d'assemblée issu des milieux universitaires, elle se résumait simplement au personnage public de M. Bouchard. Une première condition de succès était remplie.

«Quoi?» Le message de ce rapport dense et relativement complexe est entièrement résumé dans son titre: *«Un Québec fou de ses enfants»*. Annonçant sans équivoque ses valeurs, cette exhortation invite à la lecture, pique la curiosité. Déjà, retrouvant ce titre dans un article de journal, le public peut prendre position, le politicien peut comprendre la futilité de la dissidence.

Le document lui-même se présente selon une mise en page de type magazine: encarts, articles courts, vignettes, photos, joyeux emballage que sert une structure rigoureuse et rigoureusement logique. Tout dans ce document accessible porte à la citation, à l'échange d'idées. Loin d'avoir affaire à un laborieux travail scolaire, le lecteur retrouve un niveau de maîtrise de la langue et de l'analyse qui impose la crédibilité et le respect. Une seconde condition de succès se voyait ainsi comblée.

«À qui?» Un tel document, soutenu par une médiatisation intensive, risquait de viser tout le monde et personne, de demeurer une communication de masse que chacun reçoit comme il veut, dont la portée est difficile à évaluer. Notre critique des communications de masse aurait pu s'appliquer ici, n'eut été la décision stratégique des auteurs de créer un contexte d'échange hautement interactif. Le professeur Bouchard et ses associés ont entrepris une tournée de conférences dans l'ensemble du territoire québécois pour présenter leurs conclusions, mais aussi pour rencontrer leurs interlocuteurs et écouter leurs réactions. Rendus visibles par la médiatisation d'un *«Québec fou de ses enfants»*, ils étaient ainsi en mesure de façonner le sens de leur message en fonction des divers interlocuteurs. En fait, ils ont pu aller dire aux divers groupes d'intérêt que le Rapport les concernait et comment il les concernait. Les appuis populaires ainsi créés, grâce entre autres à la notoriété publique du rapport, de son principal défenseur et de son titre, sont devenus les garants de l'attention des instances politiques.

«*Par quel canal?*» L'exercice de diffusion du Rapport Bouchard respecte le principe de l'intégration de diverses techniques de communication selon les divers objectifs poursuivis. La production d'un document accessible, rédigé dans une langue exempte du jargon technocratique, la médiatisation via l'identification d'un porte-parole efficace, l'interaction avec le plus grand nombre possible de groupes d'intérêt touchés par la problématique, des objectifs de décloisonnement et de rassemblement autour d'une cause commune, représentent toutes des approches complémentaires au service de la diffusion.

«*Avec quels effets?*» Cette dernière question pose le problème de l'évaluation de la stratégie de communication en regard des objectifs poursuivis. Cette évaluation doit se préoccuper du processus de communication autant que de ses impacts. Les résultats de la diffusion du Rapport Bouchard peuvent se mesurer par des indicateurs de processus (combien de mentions dans les médias, d'invitations à donner des conférences, de réactions de la classe politique, etc.). À plus long terme, ils doivent aussi comprendre une appréciation des effets (budgets de prévention annoncés et réellement alloués, décloisonnement institutionnel, amélioration des conditions de vie des jeunes).

Cette brève analyse de cas montre comment se structure une stratégie de communication à des fins de promotion de la santé de l'enfant. Il est intéressant de constater que ce cas respecte également les recommandations de la Charte d'Ottawa (1987), un document de l'Organisation mondiale de la santé qui met de l'avant les grandes stratégies en matière de promotion de la santé. Ces stratégies sont: l'harmonisation des politiques publiques et l'amélioration des conditions de vie; le soutien des milieux de vie; le renforcement du potentiel des personnes; la réorientation du système de santé et de services sociaux; le renforcement de l'action associative et l'action auprès des groupes vulnérables.

C'est par sa volonté d'avoir recours à des stratégies multiples que la prévention/promotion se distingue. Ces actions à plusieurs niveaux, menées sur une base interdisciplinaire en collaboration avec les principaux intéressés, constituent une reconnaissance de fait du caractère complexe de la santé mentale des enfants. Quant aux méthodes d'intervention, elles doivent permettre d'atteindre l'individu dans son «écologie» propre. L'éducation pour la santé et le marketing social visent en priorité le changement individuel. L'action associative, le changement organisationnel et l'action politique visent les milieux et les conditions de vie. La communication stratégique est le «nerf de la guerre», car elle doit supporter toutes les autres stratégies. Mais son rôle spécifique se situe probablement au niveau des transformations culturelles puisque c'est par le va-et-vient des idées que sont brisés les préjugés et l'isolement. Elle a servi cet objectif lors de l'opération de diffusion du Rapport Bouchard.

Communication de masse et micro-marketing

Nous venons de voir comment la communication sert la diffusion d'idées nouvelles en vue d'élaborer des politiques publiques adéquates. Dans le cas qui suit, la communication est utilisée comme stratégie d'intervention directe auprès de la population.

Le programme «Grandir», mis au point par les auteurs, offre un exemple d'intervention adressée à la population générale dans laquelle plusieurs groupes spécifiques trouvent un intérêt, notamment les mères seules de faible niveau socio-économique (Laurendeau et al., 1991). Ce programme poursuit des objectifs de développement des compétences parentales et de liaison entre la famille et les services de soutien communautaires. Il repose sur l'observation voulant que les parents à risque d'abuser ou de négliger leurs enfants présentent un degré d'isolement social important et des attentes irréalistes face au développement de leur enfant.

«Grandir» a été réalisé dans le but de fournir un trait d'union entre les parents et les ressources du milieu. Il s'agit d'une publication mensuelle en phase avec l'âge de l'enfant et qui suit son développement sur vingt-quatre mois. Son contenu couvre la santé, les soins, la sécurité et l'éducation du bébé, s'intéresse au parent comme individu, comme membre d'un couple et comme preneur de décisions. La publication fait également la description des principales ressources de soutien aux familles et offre des bottins d'adresses spécifiques à la région où vit la famille. Ces deux caractéristiques rapprochent la publication de la communication personnalisée.

«Grandir» a fait l'objet d'un essai de diffusion communautaire avec groupe témoin auprès d'une population d'environ cinq cents familles québécoises de toutes provenances culturelles et ethniques (Laurendeau et al., 1991, Kishchuk et al., sous presse). L'étude a révélé, entre autres, que 33% des parents n'avaient pas accès à d'autres sources d'information relativement au développement, aux soins et à l'éducation de leur enfant. Les résultats positifs de cette étude ont encouragé les auteurs à travailler à la diffusion de l'outil. Tous les partenaires sociaux et scientifiques intéressés à la périnatalité et au développement de l'enfant ont été associés au développement de cette publication qui est désormais diffusée à tous les parents du Québec.

Cette intervention s'inscrit de façon peu intrusive dans le continuum de la grossesse et de l'accouchement et vient servir de trait d'union, de facteur médiateur, entre les nouveaux parents et l'environnement. Elle offre également des éléments de changement culturel, notamment en modifiant les attentes souvent irréalistes des parents face au développement de l'enfant. Elle ouvre aux parents les ressources communautaires de soutien et renforce leur sentiment de compétence face à l'arrivée de l'enfant en abordant sous une forme de résolution de problèmes, les diverses difficultés personnelles et interpersonnelles inhérentes à la situation.

Si le Rapport Bouchard et la revue Grandir constituent des exemples de communication stratégique appliquée, leur réalisation est facilitée par un phénomène nouveau que nous nommerons la redéfinition du rôle des professionnels de la santé.

REDÉFINIR LE RÔLE DES PROFESSIONNELS

La nécessité d'intégrer des stratégies de communication dans les initiatives de promotion de la santé impose aux professionnels de redéfinir leur rôle. D'experts isolés dans un bureau ou un laboratoire, sortes de boîtes noires de la connaissance, les professionnels de la santé doivent trouver les moyens de rendre leurs connaissances accessibles à la population de façon à permettre aux citoyens de participer activement et en toute connaissance de cause à la prise en charge de leur santé. Ce nouveau rôle pose deux exigences: celle de la formation et celle de l'information à la population.

La formation

La formation en promotion de la santé doit inclure un volet relatif à la maîtrise des techniques de communication tout autant que la capacité de sélectionner les techniques appropriées aux situations. Cette formation ne doit pas rester l'apanage des seuls spécialistes en communication car, de nos jours, c'est tout le processus de promotion de la santé qui doit utiliser les techniques de communication.

L'information à la population

Dans la loi sur les services de santé, c'est à la santé publique qu'incombe la responsabilité d'informer la population sur son état de santé et sur les mesures à prendre pour l'améliorer. Malheureusement, la santé publique ne dispose pas encore de tous les moyens techniques pour assurer la réalisation de son mandat. Dans le but de maximiser la portée des initiatives de promotion de la santé, les responsables de la santé publique doivent créer des unités d'information dotées des moyens nécessaires. Ces unités devraient devenir les interfaces entre les producteurs de connaissances en santé mentale (université, directions de santé publique, C.L.S.C., milieux communautaires, etc.) et ceux qui sont susceptibles d'utiliser ces connaissances dans des situations spécifiques dans la communauté.

Il est généralement reconnu que très peu des connaissances produites dans les cadres académiques sont traduites en action. Si ceci n'est pas vrai en ingénierie, ce l'est dans le cas des sciences du comportement et des sciences psychiatriques qui concernent le bien-être des familles et des enfants. Les conditions politiques d'application de ces connaissances ont été explicitées par des groupes de travail ministériels (Un Québec fou de ses enfants, 1991; Politique de la santé et du bien-être, 1992) au cours des dernières années.

Au niveau plus technique, la nécessité de créer des services de mise en forme et de diffusion (au moyen des techniques de communication) de ces connaissances est devenue criante. Les objectifs poursuivis par de tels services peuvent être résumés ainsi:

• Occuper une place plus importante dans les débats publics en mettant de l'avant les éléments favorables à la santé mentale des enfants et des familles dans les décision relatives aux politiques publiques.

• Créer des mécanismes de marketing, de soutien et d'appropriation des interventions jugées efficaces en matière d'amélioration de la robustesse des familles face aux menaces à leur équilibre.

• Devenir l'entité opérationnelle qui assure la généralisation des initiatives de prévention et de promotion de la santé destinées aux enfants, aux familles et à leur milieu.

• Promouvoir les échanges interdisciplinaires entre les équipes de chercheurs en vue de la diffusion des connaissances par le biais de forums et de groupes de travail, mais aussi en favorisant l'accès aux réseaux de communication informatisés.

• Développer un plan de communication global en matière de santé mentale des familles.

• Coopérer avec les diverses communautés dans le but de mieux répondre aux besoins exprimés et de mieux adapter la production des professionnels et des universitaires aux potentiels d'application sur le terrain.

• Créer un service d'information/diffusion relative aux interventions efficaces en matière de prévention et de promotion de la santé mentale des enfants, destiné tant aux professionnels qu'au grand public.

• Offrir des services de consultation indépendants des structures sanitaires (un peu sur le modèle des services de protection du citoyen) aux divers groupes communautaires intéressés par la promotion de la santé mentale, le développement de politiques publiques, la création ou la conversion de nouveaux services de prévention, le développement de la robustesse psychologique et autres buts compatibles avec la mission de la santé publique.

La communication stratégique et ses techniques occupent, nous le constatons, une place centrale dans l'arsenal des moyens à mettre en oeuvre pour faciliter les échanges entre la population et les professionnels. En matière de prévention et de promotion de la santé mentale, le déplacement de paradigme de la perspective individuelle et subjective vers la perspective populationnelle, n'est possible qu'à travers une appropriation des outils d'action par les principaux intéressés.

Le rôle des professionnels de la santé se redéfinit progressivement en faveur d'une emphase mise sur la transmission du savoir, de l'autogestion de la santé par l'individu et ses groupes d'appartenance, celui-ci étant soutenu dans ses décisions par un accès à l'information, au lieu et au moment où elle est nécessaire. Ce sont les technologies de l'information qui rendent possible cette révolution. ❖

This paper looks at the integration of strategic communication to the health strategies used in promoting the mental health of children and the family. Contrasted with the clinical tradition, population approaches are examined, more specifically in terms of the role played by communication in the social ecological perspective of mental health promotion. Programs using techniques of communication in this context are presented. These examples lead to an analysis of the new role that health professionals must play in matters of public information and the communication skills needed to achieve health promotion objectives.

Références

Anctil H. La communication stratégique. In: *Promotion de la santé: concepts et stratégies d'action.* (Cahier no. 2 de la collection Promotion de la santé de la revue Santé Société) Québec: MSSS, 1990:71-78.

Blanchet L, Laurendeau MC, Perreault R. *La promotion de la santé mentale.* (Cahier no. 5 de la collection Promotion de la santé de la revue Santé Société) Québec: MSSS, 1990.

Bouchard C. Lutter contre la pauvreté ou ses effets? les programmes d'intervention précoce. *Santé mentale au Québec* 1989,14(2):138-149.

Bouchard C. *Un Québec fou de ses enfants.* Québec: Groupe de travail pour les jeunes, MSSS, 1991.

Charte d'Ottawa pour la promotion de la santé. *Health Promotion* 1987;1-(4):3-5.

Gouvernement du Québec. *La politique de la santé et du bien-être.* Québec: MSSS, 1992.

Gouvernement du Québec. *La protection de la jeunesse: plus qu'une loi.* Québec: Groupe de travail sur l'évaluation de la loi sur la protection de la jeunesse, 1992, 191p.

Gouvernement du Québec. *La protection sur mesure: un projet collectif.* Québec: Groupe de travail sur l'application des mesures de protection de la jeunesse, 1991. 256p.

Hertzman C. The lifelong impact of childhood experiences: a population health perspective. In: *Disparities in health status: expert seminar and rountable.* Toronto: Federal/Provincial/Territorial Advisory Committee on Population Health, 1994.

Jutras S, Bisson J. La conception de la santé chez des enfants de 5 à 12 ans: quelques clés pour la promotion de la santé. *Sciences sociales et santé* 1994;12(2):5-37.

Kishchuk N, Laurendeau MC, Desjardins N, Perreault R. Parental support: effect of a mass-media intervention. *Can J Public Health* [sous presse].

Laurendeau MC, Gagnon G, Desjardins N, Perreault R, Kishchuk N. Evaluation of an early mass media parental support intervention. *Am J Primary Prevention* Spring 1991.

Perreault R, Laurendeau MC. Télé-santé. *Santé du Monde* 1989;3(89)-:3-5.

La première ligne des problèmes sociaux: le policier !

Raymond Thériault

Robert Ducharme

Alain POIRIER

PRISME : Pour nous introduire dans l'univers du poste 43, décrivez-nous sommairement votre organisation du travail ?

R.T. : Précisons d'entrée de jeu que notre territoire correspond à celui du CLSC La Petite Patrie. Cent cinquante policiers et policières, il faut le souligner, sont affectés à ce territoire de 70 000 habitants. Le contingent de base est celui des patrouilleurs qui assurent toutes les fonctions allant de la répression à la prévention. Ils sont appuyés par cinq équipes de support aux niveaux de la prévention et des relations avec la communauté du secteur jeunesse, des enquêtes, de la circulation et des permis. Sur le territoire de l'île de Montréal, il y a 23 de ces postes.

R.D. : Mais certaines particularités de notre quartier nous aident à comprendre les problèmes sociaux. Évidemment, il y a eu une transformation démographique majeure mais pour illustrer l'environnement de nos jeunes, mentionnons que notre quartier n'a aucune piscine extérieure et n'a que 3 parcs avec balançoires et quelques bancs. Alors, où peuvent se tenir nos jeunes? C'est ici qu'il y a le moins d'espace vert de toute l'île. Notre quartier est pauvre, des enfants ne mangent pas, certaines maisons n'ont pas d'électricité. Quand on voit ça, on comprend «presque» certains crimes. Si vous pouviez voir nos personnes âgées, ça fait pitié: plusieurs sont complètement seules, souvent exploitées. De plus, le grand nombre de familles monoparentales vient compléter le tableau des difficultés du quartier. Notre rôle en est transformé; parfois, on doit servir d'intermédiaire entre les parents et les enfants parce qu'ils ne savent pas se parler, ou alors on devient un centre de référence pour orienter les gens vers les services de la communauté. On travaille dans la rue, dans les arcades, dans les écoles et les maison d'un quartier très pauvre.

PRISME : Votre rôle vous permet-il de dénoncer ce que vous voyez ?

R.D. : Beaucoup de gens peuvent le faire, mais pas le policier, en tout cas pas avec l'uniforme sur le dos. Par contre, notre philosophie et no-

Le docteur Alain Poirier est médecin spécialiste en santé communautaire. Il est présentement adjoint à la promotion au sein de la Direction de la santé publique de la Montérégie. Il a rencontré Robert Ducharme, conseiller en prévention du crime et relations avec la communauté, et Raymond Thériault, superviseur du secteur Jeunesse, tous deux oeuvrant depuis près de 30 ans dans le corps policier de la Communauté urbaine de Montréal. Ils travaillent dans le district 43, Rosemont - Petite Patrie.

Pour connaître et comprendre le rôle transformé des policiers dans notre communauté, PRISME a choisi de confier à un médecin oeuvrant en promotion de la santé, le rôle « d'enquêter... » sur deux policiers de Montréal.

tre approche sont transformées par notre contact avec la réalité, autant dans notre travail que par notre implication dans la communauté. Jadis, par exemple, on participait à une importante campagne provinciale de levée de fonds avec téléthon, artistes et tout le tralala. Plusieurs policiers du poste ont proposé qu'on investisse nos énergies avec les commerçants et politiciens locaux pour aider nos maisons de jeunes, nos comptoirs alimentaires. C'était plus logique et drôlement plus convaincant. Notre droit de parole est peut-être limité mais pas notre droit de comprendre et d'agir.

PRISME : Et c'est ça qui change l'image du policier dans la société?

R.T. : Ce n'est qu'un exemple qui confirme la règle. Le rôle du policier s'est transformé depuis 20 ans. Plusieurs persistent à nous voir comme des vilains matraqueurs qui s'acharnent sur les honnêtes citoyens quand ils font un petit excès de vitesse.

R.D. : Pour ceux qui ne s'en sont pas aperçus, notre travail est fait de 90 % de gestes préventifs. C'est là

notre vrai rôle car si la répression apparaît comme notre premier rôle, ce n'est souvent qu'une porte d'entrée face aux problèmes sociaux. Et d'ailleurs, certains de nos gestes répressifs doivent être considérés comme un geste pour prévenir des événements plus sérieux encore. C'est particulièrement vrai quand on intervient auprès des jeunes.

PRISME : Avez-vous reçu une formation en prévention durant votre entraînement ou depuis ?

R.T. : C'est surtout l'expérience du terrain qui s'est chargée de former les plus vieux d'entre nous. Cependant, avant d'entrer à la section jeunesse, un policier doit suivre cinq cours d'environ 45 heures chacun. Les domaines touchés sont la communication orale, les relations communautaires, les techniques d'entrevue et d'enquête, la criminologie juvénile et les drogues et stupéfiants.

PRISME : Mais alors, quels sont vos outils pour faire de la prévention?

R.D. : Les organismes que je connais constituent mon meilleur outil de travail. Je me sentirais bien seul si, pour rejoindre les citoyens, je ne pouvais pas m'appuyer sur les organismes communautaires et obtenir l'aide des travailleurs de la santé comme au CLSC par exemple. Je me sers aussi des conférences, des rencontres, du bouche à oreille entre autres, auprès de tous les policiers patrouilleurs et ceux du secteur jeunesse pour que l'information circule et qu'on assure un suivi entre les policiers et la communauté. Par exemple, si nos policiers sont aux prises avec le problème d'une piquerie dans le quartier, mon travail est de travailler avec la communauté sur le problème de la consommation de drogues chez les jeunes.

R.T. : Dans mon secteur, quatre policiers sont assignés à temps plein à des fonctions où la répression et la prévention s'entremêlent. À titre d'exemple, une tournée des arcades le matin permet souvent de retourner à l'école quelques apprentis-décrocheurs, et une visite des brigadiers scolaires permet aussi d'identifier certaines situations en émergence au chapitre de la consommation ou de la violence. Mais la rue, ce n'est que le prolongement de l'école ou vice versa; alors, il faut aussi établir une relation de confiance avec les directions d'école et les parents. Nos interventions à l'intérieur d'une école réussissent souvent à transformer complètement un climat de peur, même chez les professeurs, climat installé par quelques adolescents qui impressionnent tout le monde, dans le sens négatif du terme ! On a vu des adolescents, qui faisaient la terreur dans l'école et sur la rue, devenir des apôtres de la non-violence avec nos interventions. Pas besoin de matraque, de menot-

tes ou de juge pour obtenir ces résultats-là!

PRISME : Votre travail a presque l'air facile, est-ce le cas ?

R.T. : Non, de l'autre côté de la médaille, on a affaire à des jeunes qui ont une vision très négative du policier, surtout quand on arrive dans le portrait à la demande d'une tierce personne. On représente la répression et l'autorité masculine que plusieurs adolescents n'ont pas connue. La monoparentalité très élevée dans notre quartier est comme ailleurs surtout féminine, et nos adolescents au sein de ces familles disloquées n'ont pas l'habitude de se confier, ils sont renfermés.

PRISME : Pourrait-on dire que vous remplacez la figure du père ?

R.T. : On n'arrive même pas à faire un minimum de suivi dans le cas de jeunes auprès de qui nous sommes intervenus. On voudrait prendre un rendez-vous avec lui, peut-être au mois, mais notre grand volume d'enquêtes nous empêche d'assurer un suivi adéquat. Alors, la comparaison ne tient pas, d'autant que beaucoup de policiers sont des policières, ne l'oublions pas !

PRISME : La situation est-elle la même avec toutes les communautés ethniques ?

R.D. : On a beaucoup entendu parler des efforts que devraient faire les policiers pour s'adapter à de nouvelles cultures mais très peu de l'autre perception, c'est-à-dire celle des nouveaux arrivants à l'égard des policiers. J'ai entendu récemment dans les cours COFI que la corruption du corps policier était présente dans 9 pays sur 10 ! SI c'est vrai, ça explique en partie la méfiance qu'affichent d'emblée certaines communautés. Au lieu de rassurer, notre présence amène l'effet contraire. Alors quand un policier a été habitué à penser que son uniforme rassure les honnêtes citoyens, ses premiers contacts avec un étranger «inquiet» l'installent dans un autre préjugé du genre: celui-là a quelque chose à se reprocher. Par ailleurs, il faudra briser ce cercle vicieux de la méfiance avant de penser obtenir un peu de succès dans nos recrutements de policiers issus des communautés d'immigrants. Pour faire ça, c'est mon rôle de rencontrer et de créer des rapprochements avec les organisations et les communautés du quartier.

PRISME : Étant au service de la police depuis près de 30 ans, quelles autres situations avez-vous vu se transformer?

R.T. : Les crimes contre la personne diminuent, et pourtant les tabloïds semblent indiquer le contraire. D'ailleurs, si on se fie à leur première page, le policier constituera toujours « la première ligne ». Cependant, les gestes eux-mêmes sont plus gratuits ou plus expéditifs. Les armes ont remplacé les coups de poing, par exemple.

R.D. : Les agressions sexuelles et la violence conjugale ont cependant augmenté. Augmentation du phénomène ou augmentation de la dénonciation, plusieurs se le demandent, mais chose certaine, ça correspond aussi à une transformation marquée de notre méthode de travail. Il y a quinze ans, on limitait notre intervention à protéger une femme violentée, à l'escorter hors de son foyer ! Maintenant, c'est devenu clair que l'homme violent est

celui que le policier fait sortir du foyer, tout en assurant que du support est disponible pour la femme et les enfants. Dans notre cas, une entente avec le CLSC nous permet d'effectuer cette intervention systématiquement et instantanément. Le processus judiciaire est aussi plus rapide et systématique.

PRISME : L'arrivée des femmes dans le corps policier a-t-elle amené cette évolution?

R.D. : Difficile à dire dans ce dossier mais, de façon générale, la présence des femmes a contribué à modifier notre façon de travailler. La vue de l'uniforme du policier n'évoque plus la même impression à partir du moment où c'est une femme qui le porte. Mais au-delà de cette perception de la policière, la réalité, c'est qu'on observe une nouvelle façon de régler les différends. Moins physique assurément, et sans perdre d'efficacité, au contraire ! Auprès des personnes âgées et de certains groupes à forte concentration féminine, la présence d'une policière constitue souvent un atout. Idéalement on vise à ce que les citoyens oublient le sexe de la personne dans l'uniforme, non pas en nivelant par la base, mais en enrichissant les interventions des uns par celles des autres.

PRISME : Tous les métiers et professions s'adaptent graduellement aux changements de la société, mais certains choix doivent quand même être pris pour définir le policier « moderne »?

R.D. : Effectivement, et le choix principal qui a été effectué, peut-être face à l'ampleur de la tâche et l'impossibilité de cacher un policier à tous les coins de rue, a été d'impliquer la population dans le travail. Pas celui de la répression comme telle mais celui de la prévention des crimes. Au niveau d'association d'établissements comme celle des hôpitaux, par exemple, mais aussi dans les quartiers. Pour établir cette collaboration, pour qu'elle devienne naturelle, on a choisi de bâtir nos interventions avec cette notion d'un «policier de proximité». Le po-licier doit inclure un volet d'éducation dans ses gestes auprès des citoyens qu'il côtoie tous les jours, du fait d'être assigné à un quartier spécifique. Il devient un membre du quartier connu et salué ! On sera probablement tout près du but quand une majorité de citoyens du quartier connaîtront les préférences du policier dans la façon dont il boit son café ! Ça sera le plus beau signe d'intégration et d'amitié.❖

Dr. Alain Poirier, specialist in community health services, is presently appointed to the promotion at the Monteregie Public Health Services. He has met with two police officers who are acting in the field of preventive action against crime and relations to the community. Both Robert Ducharme and Raymond Thériault have been working for the last thirty years in the police corps of the Montreal Urban Community and they are actually assigned to the Rosemont-Petite Patrie sector, District 43. This interview clearly brings evidence of their progressive vision and deep commitment to youth and families, and it should result in a better understanding of the role and presence of police in the community.

VIE RELATIONNELLE ET SENTIMENT DE BIEN-ÊTRE PERSONNEL
des adolescents québécois

Richard CLOUTIER
Christian JACQUES
Gaby CARRIER

Richard CLOUTIER Ph.D. est psychologue du développement de l'enfant et de l'adolescent. Il est professeur titulaire à l'École de psychologie de l'Université Laval et membre du Centre de recherche sur les services communautaires.

Christian JACQUES, M.Ps. est professionnal de recherche au Centre de recherche sur les services communautaires de l'Université Laval.

Gaby CARRIER, M.S.S., est chercheure au Centre de recherche sur les services communautaires de l'Université Laval.

Son champ de recherche est la protection de la jeunesse.

L es relations que les jeunes vivent dans leur famille constituent non seulement les bases de leur apprentissage de la vie sociale mais aussi les matériaux de leur croissance personnelle. Il s'agit là d'une hypothèse centrale en psychologie du développement et, pendant tout le XXe siècle, des travaux de recherche se sont efforcés d'en soutenir la confirmation empirique. On sait par ailleurs qu'à l'adolescence, la famille perd de l'importance au profit des relations avec les pairs et des relations dans d'autres milieux comme l'école, la communauté, etc.

Selon Bretherton (1993), cinq postulats principaux ont appuyé cette perspective développementale: 1) la relation parent-enfant constitue un contexte de développement qui joue un rôle central dans le sentiment de l'enfant d'être une personne unique et dans sa capacité d'entrer en relation avec les autres; 2) les schèmes d'interactions caractéristiques de la relation parent-enfant sont des prototypes qui sont intériorisés par le jeune et reproduits dans ses relations à l'extérieur de sa famille d'origine; 3) l'influence des parents est modulée par les caractéristiques de l'enfant (âge, sexe, tempérament, aptitudes, etc.) de sorte qu'un même contexte n'exerce pas la même influence sur deux enfants différents; 4) la culture familiale transmise d'une génération à une autre affecte les schèmes relationnels dans la famille ainsi que la morale telle qu'intériorisée par les jeunes; et 5) par un processus de régulation mutuelle prévalant dans la rela-

Cette étude s'adresse à la question suivante: «Quels sont les déterminants relationnels du sentiment de bien-être personnel des adolescents québécois?». Les données recueillies dans le cadre de l'enquête «Ados, familles et milieux de vie», enquête menée auprès de 3822 jeunes québécois des deux sexes, sont utilisées afin de répondre à cette question. Les répondants sont âgés de 12 à 18 ans et proviennent de la population adolescente inscrite au secondaire (les élèves) ou recevant des services des Centres jeunesse (les jeunes en difficulté). Le questionnaire utilisé, «Ados, familles et milieux de vie», a été conçu pour les besoins de l'enquête en version française et en version anglaise. Les résultats des analyses de régression indiquent que l'ensemble du monde relationnel des jeunes explique 40 % de la

tion parent-enfant, l'enfant contribue au développement du parent qui réalise dans ce contexte ses aspirations de prolongement personnel dans le temps.

Le système relationnel entre parent et enfant s'inscrit lui-même dans un système relationnel familial plus large (relation conjugale, parentale, fraternelle, etc.) qui, à son tour, évolue dans le système social incluant l'école, les amis, les milieux de travail, la communauté, etc. C'est à travers ce processus relationnel que se réalise la socialisation de l'enfant avec l'intériorisation des valeurs familiales et sociales qu'elle provoque, processus qui est soumis d'une part à l'influence des perceptions et distorsions subjectives des acteurs et, d'autre part, à l'influence des caractéristiques des milieux qui entourent la famille (famille élargie, réseau d'amis, école, métier, communauté, état, etc.).

Ce bref article s'inscrit dans la foulée de ce vaste courant de recherche et il s'adresse à la question suivante: «*Quels sont les déterminants relationnels du sentiment de bien-être personnel des adolescents québécois?*». Il s'agit d'une étude corrélationnelle dont l'originalité repose sur l'important échantillon d'adolescents mis en cause: les données sont issues d'une enquête récente menée auprès de 3800 jeunes âgés entre 12 et 18 ans (Cloutier, Champoux, Jacques et Lancop, 1994a, 1994b).

Des modèles devenus classiques

La théorie de l'attachement représente l'une des contributions les plus importantes à la validation de cette hypothèse développementale (Ainsworth, Blehar, Waters et Wall, 1978; Bowlby, 1958, 1969, 1973). Selon cette théorie, l'enfant est un être essentiellement social, c'est-à-dire capable dès sa naissance d'interagir activement avec les personnes qui en prennent soin, ce qui favorise l'établissement d'un lien d'attachement dès la première année de la vie avec la mère ou son substitut. Or, tous les attachements ne sont pas semblables; selon la sensibilité mutuelle et le synchronisme plus ou moins grands qui prévalent dans les transactions de communication mère-enfant, le schème d'attachement se développera différemment et, en tant que prototype relationnel influençant l'ensemble des re-

variance de leur sentiment de bien-être personnel et l'ordre d'importance des déterminants est le suivant: famille, amis, école. Toutefois, ce lien est différent selon qu'il s'agisse des filles et des garçons, qu'il s'agisse des élèves ou des jeunes en difficulté. Chez les filles on observe globalement le même modèle que pour l'ensemble des répondants, c'est-à-dire «famille, amis, école», alors que chez les garçons ce sont les relations avec les amis qui viennent en premier, suivies des relations dans la famille et des relations à l'école. Chez les répondants des Centres jeunesse, le modèle explique moins de variance, un plus grand nombre de variables relationnelles interviennent et le système relationnel familial est moins puissant comme prédicteur. L'implication de ces résultats est discutée.

lations futures de l'enfant, ce schème façonnera le style d'exploration sociale affiché par le jeune ultérieurement. Selon cette approche, la relation optimale est caractérisée par l'acceptation, de la part de l'adulte, de la recherche de contact, de chaleur, de consolation par l'enfant mais aussi par l'acceptation de son exploration autonome des milieux physiques et sociaux. Si l'adulte vit la recherche de contact du bébé comme sans importance ou encore comme trop exigeante ou encore s'il freine l'activité exploratoire de l'enfant, la mobilisation du jeune dans l'exploration confiante de son monde en sera affectée. Ainsworth et coll. (1978), à partir de leur *«situation étrangère»* devenue classique comme méthode expérimentale, identifient trois types d'attachement: a) l'attachement sécurisant caractérisé par la confiance et l'initiative dans la recherche de contacts et l'exploration; b) l'attachement esquivé associé à une moins grande sensibilité relationnelle entre mère et enfant et caractérisé par le refus des tentatives de rapprochement; et c) l'attchement de type ambivalent caractérisé par un mélange de recherche de contact mais aussi de craintes de perdre ce contact et par une résistance à l'autre.

Le paradigme de l'attachement a été à l'origine d'une quantité phénoménale de recherches en psychologie du développement au cours des quarante dernières années (Belsky, 1984; Stern, 1985). Malgré le soutien empirique constant apporté aux types d'attachement proposés par Ainsworth lorsque la méthode de la situation étrangère est utilisée, la relation plus générale entre les conduites parentales et l'attachement mère-enfant a donné lieu à un certain nombre de contradictions (Goldschmith et Alansky, 1987; Schneider-Rosen et Rothbaum, 1993). Il n'en reste pas moins que la signification de la première relation sociale, premier engagement affectif, et le degré de mobilisation de l'enfant dans l'exploration de ses milieux de vie représente une donnée incontournable dans la recherche de la compréhension du développement humain.

La théorie de l'écologie du développement humain a poussé un peu plus loin encore ce paradigme relationnel en tant que fondement du processus de socialisation des jeunes (Bronfenbrenner, 1979a, 1979b). Selon l'approche écologique, la famille, avec ses différentes composantes relationnelles, définit un microsystème (un système relation nel dans lequel l'enfant ou le parent a un rôle direct en tant qu'individu comme c'est le cas à la garderie ou au bureau) qui s'intègre dans une hiérarchie d'autres systèmes: le mésosystème correspondant au système des relations entre les microsystèmes comme les liens entre la famille et la garderie, l'exosystème correspondant aux relations qui influencent ce qui arrive à l'enfant mais sans qu'il y ait une participation active comme par exemple l'atmosphère du milieu de travail du père, et le macrosystème correspondant à la couche la plus large qui touche la culture sociale, les idéologies et façons de faire du milieu social où vivent les membres de la famille.

Plusieurs autres modèles théoriques s'inspirent plus ou moins directement de cette hypothèse concernant le lien entre le développement personnel et le système de relations dans la famille pour expliquer les trajectoires développementales (voir par exemple: Baumrind, 1971; Belsky et Nezwoski, 1988; Gottfredson et Hirschi, 1990; Johnston, 1993; Kagan, 1992; Olson, Spengle et Russell, 1979; Peterson et Zill, 1986).

Dans ses efforts d'intégration théorique de données de recherche recueillies pendant plusieurs années sur le développement des jeunes en difficulté, Jessor (1992, 1993) intègre la composante relationnelle considérée plus haut à l'intérieur d'un modèle qui en inclut plusieurs autres. Par exemple, dans un tel modèle, les caractéristiques de l'individu comme le bagage génétique, la personnalité ou l'environnement social viendront influencer de façon significative les relations qu'il vivra, soit en tant que facteurs de risque de difficultés, soit en tant que facteurs de protection contre les difficultés. Ainsi, une histoire familiale d'alcoolisme sera située parmi les facteurs de risque comportant un facteur héréditaire potentiel tandis que la pauvreté de la famille sera située parmi les facteurs de risque reliés à l'environnement social du jeune. Bref, dans ce modèle, les résultats observables du processus de socialisation du jeune ne reposent pas seulement sur l'histoire de la relation parent-enfant mais aussi sur plusieurs autres composantes du système relationnel, y compris des caractéristiques personnelles et environnementales en jeu dans la relation parent-enfant.

La démonstration de l'importance de la qualité des relations vécues par l'enfant au regard de la qualité de son développement n'est plus à faire. Un consensus existe à l'effet que l'impact développemental des milieux de vie de l'enfant est transmis à travers les relations qu'il y vit (Bradley, Whiteside, Mundfrom, et al., 1994; Huston, McLoyd et Garcia Coll, 1994; Youniss, 1983). La présente analyse a pour objectif de mesurer la force des liens entre la qualité des relations vécues dans la famille, à l'école et avec les amis d'une part et le sentiment de bien-être personnel d'autre part. Cette dernière variable est utilisée ici comme variable dépendante parce qu'elle mesure le sentiment subjectif d'adaptation générale, elle reflète le degré perçu de satisfaction des besoins par le principal acteur: le jeune lui-même. La façon dont le jeune se sent dans sa peau et dans sa vie est donc utilisée ici comme critère de réussite de son ajustement personnel.

But de la présente étude et questions de recherche

À partir des données de deux enquêtes réalisées dans le cadre de l'Année internationale de la famille auprès de 3800 adolescents dont 600 vivaient des difficultés sérieuses, la présente démarche vise à évaluer la force et la nature de la composante relationnelle dans le sentiment de bien-être personnel des jeunes. Plus spécifiquement, la démarche vise à répondre aux trois questions suivantes: 1) Quelle est la proportion de la variance du sentiment de bien-être personnel qui peut être expliquée par le type de relations que le jeune vit? 2) Quelles sont les variables qui ressortent comme les prédicteurs les plus puissants du sentiment de bien-être personnel chez les adolescents? et 3) Retrouve-t-on les mêmes déterminants du bien-être personnel chez les garçons et chez les filles, chez les jeunes en difficulté et chez les élèves du secondaire?

Par composante relationnelle, nous entendons l'ensemble des variables qui concernent les relations vécues par le jeune dans ses différents milieux de vie, que ce soit sa famille, son école, son réseau d'amis, ses relations amoureuses, etc. La variable dépendante *«sentiment de bien-être personnel»* est considérée ici comme un indicateur-clé de santé mentale telle qu'évaluée par le jeune lui-même. Il s'agit d'un indice de synthèse établi à partir de la réponse aux quatre questions suivantes: 1) *«Es-tu satisfait de toi-même?»*; 2) *«De façon générale, dirais-tu que tu es une personne heureuse ou malheureuse?»*; 3) *«Parfois j'ai l'impression que je ne vaux rien»*; et 4) *«Actuellement, je me sens valorisé-e dans les activités que je fais»*.

MÉTHODE

L'échantillon

L'échantillon se compose de deux sous-ensembles: a) un groupe d'élèves du secondaire; et b) un groupe d'adolescents en difficulté issu des clientèles des Centres jeunesse du Québec (CJ). Le sous-échantillon d'élèves est choisi au hasard parmi l'ensemble des inscrits dans les écoles secondaires du Québec; 1,25 % de cette population est invitée à répondre au questionnaire. Des 6121 questionnaires expédiés par la poste, 3214 sont remplis, ce qui donne un taux de réponse global de 52,6 %. L'âge moyen de ces répondants est de 14,7 (é-t = 1,59); il y a 1398 garçons et 1794 filles et leur distribution selon la classe est la suivante: 1re secondaire = 19,9 %; 2e secondaire = 20,9 %; 3e secondaire = 21,5 %; 4e secondaire = 18,1 %; 5e secondaire = 15,3 %; 6e secondaire = 0,8 % et cheminement particulier = 3,5 %. Sur l'ensemble des répondants, 0,08 % ont abandonné l'école avant la fin du secondaire. Le tableau 1 présente le nombre de questionnaires envoyés et reçus pour les répondants francophones et anglophones.

Le sous-échantillon CJ est choisi au hasard parmi la clientèle adolescente des Centres jeunesse du Québec, c'est-à-dire les jeunes de 12 à 18 ans qui reçoivent des services de ces établissements, soit à partir de leur famille d'origine (49 %), soit en contexte de placement (51 %) en famille d'accueil ou en centre de réadaptation ou autre forme de résidence. Des 1924 questionnaires expédiés aux jeunes CJ, 608 sont complétés, ce qui donne un taux de réponse de 32,3 %. L'âge moyen de ces répondants est de 15,01 (é-t = 1,57); il y a 311 garçons et 289 filles et leur distribution selon la classe est la suivante: 1re secondaire = 21,2 %; 2e secondaire = 19,8 %; 3e secondaire = 17,.7 %; 4e secondaire = 13,5 %; 5e secondaire = 7,7 %; 6e secondaire = 2,5 % et cheminement particulier = 17,5 %. Sur l'ensemble des répondants, 6,7 % ont abandonné l'école avant la fin du secondaire. Le tableau 1 présente la répartition des répondants selon le sous-échantillon et la langue des répondants. Le taux de réponse pour l'ensemble des répondants est de 47,5 %.

La structure échantillonnale en deux volets utilisée ici permet d'obtenir une meilleure représentation de l'ensemble de la population. En effet, compte tenu d'un taux de réponse de 52,6 % des élèves, on peut présumer à l'instar de Rosenthal et Rosnow (1969) que les répondants volontaires ont tendance à être mieux adaptés socialement que les non-répondants. Cet artefact est le lot de la plupart des enquêtes basées sur la participation volontaire. La surreprésentation des jeunes en difficulté dans l'échantillon (ils représentent 16 % de l'ensemble) apporte une compensation significative à cette tendance même si le taux de réponse des jeunes CJ (32,3 %) permet de croire que ceux qui vivent les difficultés les plus graves sont moins présents dans ce sous-échantillon. Les deux sources échantillonnales permettent une meilleure représentation des adolescents québécois dans l'étude.

Tableau 1

Taux de réponse des élèves francophones et anglophones à qui un questionnaire a été expédié par la poste

Langue d'usage ou langue d'enseignement	Nombre de questionnaires			Taux de réponse %
	expédiés	retournés non remplis	reçus remplis	
Élèves francophones	5546	5	2971	53,6
CJ francophones.	1776	40	570	32,8
Élèves anglophones	575	0	243	42,3
CJ anglophones	148	3	38	26,2
Total élèves	6121	5	3214	52,6
Total CJ	1924	43	608	32,3
Total	**8045**	**48**	**3822**	**47,5**

Le questionnaire

Le questionnaire comprend 229 questions ou énoncés et se structure autour des treize rubriques suivantes: 1) information générale, 2) situation familiale, 3) occupation des parents, 4) milieu scolaire, 5) climat familial, 6) relations avec le père, 7) relations avec la mère, 8) relations avec les frères et soeurs, 9) relations avec les amis, 10) relations amoureuses, 11) sexualité, 12) rapport à soi et projets de vie et 13) habitudes de vie et activités. Certaines questions sollicitent de l'information factuelle sur la situation personnelle et familiale du jeune et sur son mode de vie tandis que d'autres s'intéressent plus spécifiquement aux relations qu'il entretient avec sa famille et ses différents milieux de vie. Quatre modalités de réponses sont utilisées dans le questionnaire: les complétées, les réponses dichotomiques (oui ou non), les réponses au choix et l'échelle de type Likert (p.ex.: 1 = ne correspond pas du tout à ce que je vis; jusqu'à 4 = correspond tout à fait à ce que je vis). Un certain nombre d'items du questionnaire sont tirés d'instruments publiés soit: le «Questionnaire sur les habitudes de vie des jeunes» (Cloutier, Legault, Champoux et Giroux, 1991), le «Decision Making Checklist» (Steinberg, 1987) adapté par Charbonneau (1994) et le «Parental Bonding Instrument» (Parker, 1983) adapté par Tousignant, Hamel et Bastien (1988). La plupart des questions ont toutefois été conçues par l'équipe de recherche, avec l'appui d'un comité d'experts dans le cadre de l'enquête «Ados, familles et milieux de vie» (Cloutier, Champoux, Jacques et Lancop, 1994a, 1994b).

Seulement la partie des données de nature relationnelle est utilisée dans la présente étude, soit 68 variables, dont 20 sont des indices de synthèse générés à partir d'un bassin de 97 énoncés[1]. Ces données concernent l'ouverture de l'école, la violence à l'école, la cohésion et la discorde familiale, l'ouverture familiale aux amis, la violence entre parents, l'autonomie décisionnelle, les relations positives avec le père et la mère, la violence avec le père et la mère, l'intimité entre frères et soeurs, la mutualité entre frères et soeurs, les relations difficiles avec les frères et soeurs, le soutien perçu des amis, la sensibilité à l'influence des amis, la composition de la famille, la composition du groupe d'amis, les relations amoureuses, la sexualité, la discrimination (sexuelle, raciale, religieuse et en raison de l'apparence physique), certains incidents de parcours (peine d'amour, problème avec la police, séparation parentale, rejet par les amis, fugue et abus sexuel) et finalement, la participation à des activités de groupes (équipe sportive, groupe culturel, vie étudiante, bénévolat et mouvement politique).

L'analyse de consistance interne, effectuée sur les huit échelles du questionnaire où des données sont puisées pour la présente analyse, indique des coefficients alpha de Cronbach variant de 0,63 à 0,92.

La collecte des données

Les questionnaires sont postés aux élèves à leur domicile et transmis aux jeunes CJ dans leur milieu d'accueil ou par la poste. Une lettre explicative en page frontispice présente les buts de la recherche et assure l'anonymat et la confidentialité des réponses. L'envoi inclut une enveloppe de retour pré-adressée et pré-affranchie. Tous les jeunes sont entièrement libres de répondre ou de s'abstenir de le faire. Lors d'une étude pilote, les répondants ont mis, en moyenne, 40 minutes pour compléter le questionnaire.

Le sentiment de bien-être personnel

Le sentiment de bien-être personnel est un indice de synthèse établi à partir de la réponse aux quatre questions suivantes: 1) *«Es-tu satisfait-e de toi-même?»* (très satisfait-e, plutôt satisfait-e, plutôt insatisfait-e, très insatisfait-e); 2) *«De façon générale, dirais-tu que tu es une personne heureuse ou malheureuse?»* (très heureuse, plutôt heureuse, plutôt malheureuse, très malheureuse); 3) *«Parfois j'ai l'impression que je ne vaux rien»* (correspond tout à fait à ce que je vis, correspond un peu à ce que je vis, ne correspond pas vraiment à ce que je vis, ne correspond pas du tout à ce que je vis); et 4) *«Actuellement, je me sens valorisé-e dans les activités que je fais»* (correspond tout à fait à ce que je vis, correspond un peu à ce que je vis, ne correspond pas vraiment à ce que je vis, ne correspond pas du tout à ce que je vis). La cote individuelle obtenue à l'indice de bien-être personnel correspond au total des cotes (1 à 4) obtenues à chacune des questions (la 3e étant inversée).

Les analyses statistiques

Le lien entre le système relationnel et le sentiment de bien-être personnel est évalué à l'aide d'analyses de régression multiple par étapes (Hair, Anderson et Tatham, 1987). La procédure REG avec la méthode de sélection des variables STEPWISE du progiciel SAS est utilisée pour faire les analyses (version 6.08, SAS Institute Inc., 1989). Le seuil alpha d'entrée et de sortie des variables est fixé à 0,05 et seulement les variables qui expliquent au minimum 1 % de la variance (R2) sont retenues dans les modèles. Afin de minimiser l'effet des données manquantes sur nos modèles de prédiction, les variables prédictives présentant des données manquantes se sont vues attribuer la valeur moyenne de cette variable, une façon de faire considérée comme conservatrice (Cohen et Cohen, 1983; Tabachnick et Fidell, 1989). L'ensemble des variables relationnelles retenues sont utilisées dans ces démarches. Une première analyse porte sur l'ensemble de tous les adolescents de l'échantillon, suivie de trois autres analyses concernant les élèves (l'ensemble, les garçons et les filles) et enfin de trois autres concernant les jeunes en difficulté (l'ensemble, les garçons et les filles).

Nous avons choisi d'effectuer des analyses de régression séparées pour les filles et les garçons plutôt que d'utiliser des termes d'interaction impliquant le sexe dans une seule analyse afin de préserver l'éclairage distinct obtenu dans chacun des groupes. Compte tenu du constat répété de l'existence d'une dynamique relationnelle distincte chez les filles et les garçons (voir les deux rapports: Cloutier et coll, 1994a, 1994b), l'objectif est ici de protéger la spécificité de chaque groupe-sexe dans l'identification des prédicteurs importants du sentiment de bien-être personnel.

RÉSULTATS
L'ensemble des adolescents

Afin d'identifier les meilleurs indicateurs relationnels du sentiment de bien-être personnel, nous effectuons une analyse de régression dans laquelle cette variable est utilisée comme variable dépendante. Le tableau 2 rend compte des résultats de cette analyse qui permet d'expliquer 39,2 % de la variance du sentiment de bien-être personnel. Dans un premier temps, les variables «sexe» et «âge» sont forcées dans le modèle afin d'identifier clairement la variance qu'elles assument.

Ainsi, tel que l'indique le tableau 2, le sexe explique 4,2 % de la variance du sentiment de bien-être personnel alors que moins d'un pour cent de la variance (0,6 %) est expliquée par l'âge. La contribution assez importante de la variable sexe s'explique notamment par le fait que les filles présentent des indices de bien-être personnel significativement plus bas que les garçons (Cloutier et coll., 1994a, 1994b). Dans l'ordre, les variables suivantes ont été retenues par le modèle: la «cohésion familiale» qui explique à elle seule 17,4 % de la variance, le «soutien perçu des amis» (9,7 %), le «sentiment d'être l'objet de discrimination en raison de l'apparence physique» (3,1 %), la «violence verbale enseignant-élève» (1,9 %), la «mutualité entre frères et soeurs» (1,4 %) et les «résultats scolaires» (1,1 %).

Ces résultats permettent de formuler un certain nombre d'observations en rapport avec nos deux premières questions de recherche (1-«Quelle est la proportion de la variance du sentiment de bien-être personnel qui peut être expliquée par le type de qualité des relations que le jeune vit?»; et 2- «Quelles sont les variables relationnelles qui ressortent comme les prédicteurs les plus puissants du sentiment de bien-être personnel chez les adolescents?»). Premièrement, en ce qui concerne la première question de recherche, la réponse est (environ 40 %). Cependant, même si le modèle de prédiction explique 39,2 % de la variance, force est de constater que d'autres facteurs entrent en ligne de compte pour expliquer 60 % de la variance du sentiment de bien-être personnel des adolescents québécois. Nos données ne permettent pas de préciser la nature de ces autres facteurs d'influence mais il est vraisemblable que des facteurs d'ordre personnel (tempérament, personnalité, intelligence, apparence physique, etc.), ou contextuel (pauvreté, qualité des ressources communautaires, race, etc.) entrent en jeu ici.

Deuxièmement, il est clair que l'indice de cohésion familiale ressort comme le plus puissant déterminant relationnel du «sentiment de bien-être personnel» des adolescents. En effet, à elle seule, cette variable explique» plus que toutes les autres qui viennent s'ajouter dans le modèle par la suite. Si on y ajoute la variance expliquée par la «mutualité entre frères et soeurs» (1,4 %), les relations dans la famille expliquent 18,7 % de l'ensemble, soit près de la moitié de tout le modèle. Ce résultat confirme l'hypothèse classique voulant que la façon dont l'adolescent se sente dans sa peau dépend de ce qu'il vit dans sa famille. Certes, les amis sont importants, le soutien perçu

Tableau 2

Prédiction du sentiment de bien-être personnel pour l'ensemble des sujets (n = 3793)

Variables	R²partiel
1- Sexe (0 = masculin; 1 = féminin)	(-) 0,0418
2- Age	(-) 0,0059
3- Cohésion familiale (1 = faible à 4 = élevé)	(+) 0,1738
4- Soutien perçu des amis (1 = faible à 4 = élevé)	(+) 0,0967
5- Discrimination apparence physique (0 = oui; 1 = non)	(+) 0,0309
6- Violence verbale enseignant-élève (1 = faible à 4 = élevé)	(-) 0,0191
7- Mutualité entre frères et soeurs (1 = faible à 4 = élevé)	(+) 0,0135
8- Résultats scolaires (1 = faible à 5 = élevé)	(+) 0,0106
Total	0,3923

Note: Le signe (+/-) sert à indiquer le sens de la relation entretenue par chacune des variables dans le modèle de prédiction.

des amis explique 9,7 % de la variance de la variable dépendante, mais cette contribution est presque deux fois moindre que celle de la cohésion familiale.

Troisièmement, sans vraiment avoir été attendu, le sentiment d'être l'objet de discrimination en fonction de l'apparence physique apparaît dans le modèle avec une contribution de 3 % de la variance expliquée. Cette variable de l'enquête a été incluse dans les composantes du monde relationnel du jeune parce qu'elle renvoie au sentiment d'être l'objet de discrimination par l'entourage. Il est aussi possible d'y percevoir en même temps un indice de satisfaction du jeune par rapport à son apparence physique, ce qui rapprocherait cet indicateur de la zone des caractéristiques personnelles telles que perçues. En effet, il est plausible que les jeunes qui ont le sentiment d'être victime de discrimination en fonction de leur apparence physique soient moins satisfaits de l'apparence de leur corps et conséquemment moins bien dans leur peau. Enfin, quatrièmement, deux variables associées au monde scolaire viennent compléter la liste des prédicteurs significatifs du sentiment de bien-être personnel: la violence verbale enseignant-élève et les résultats scolaires.

Cette première analyse nous permet donc de répondre de la façon suivante aux deux premières questions de recherche: 1) le monde relationnel des jeunes explique 40 % du sentiment de bien-être personnel des adolescents; et 2) en ordre d'importance, les zones relationnelles se classent comme suit: famille - amis - école. Afin de répondre à la troisième et dernière question de recherche (Retrouve-t-on les mêmes déterminants du bien-être personnel chez les garçons et chez les filles, chez les jeunes en difficulté et chez les élèves du secondaire?), nous avons procédé à des analyses de régression supplémentaires qui avaient pour but d'identifier les variables les plus fortement reliées au sentiment de bien-être personnel: a) chez l'ensemble des répondants du groupe des élèves; b) chez les filles du groupe des élèves; c) chez les garçons de ce même groupe; d) chez l'ensemble des clientèles CJ; e) chez les filles des clientèles CJ; et f) chez les garçons de cette même clientèle. La même procédure statistique a été employée que pour l'analyse de régression qui précède. Les tableaux 3 et 4 présentent les résultats de ces analyses.

Le sous-échantillon des élèves

Le tableau 3 présente les analyses de régression pour les élèves du secondaire. Pour l'ensemble des 3192 répondants des deux sexes, le modèle de régression permet d'expliquer 42,3 % de la variance du «sentiment de bien-être personnel» et ce sont les mêmes variables que celles du tableau 2 qui apparaissent en tête de liste, après les variables sexe et âge qui sont forcées dans le modèle, soit: «cohésion familiale», «soutien perçu des amis», «sentiment d'être victime de discrimination en raison de l'apparence physique» et «résultats scolaires». Les dernières variables entrées dans le modèle, «violence verbale père-enfant», «relation positive avec la mère» et «ouverture perçue de l'école», contribuent pour quelques pour-cent de variance expliquée comparativement au premier modèle concernant tous les sujets. Ainsi, qu'il s'agisse de l'ensemble des 3793 sujets ou des 3192 élèves, la famille, les amis et l'école conservent leur position respective dans leur association avec le sentiment de bien-être personnel.

Toutefois, la situation change lorsque les garçons et les filles sont traités séparément. Ainsi, pour les garçons, la force du modèle de prédiction baisse à 37,7 %, le «soutien perçu des amis» prend la première place comme prédicteur du sentiment de bien-être personnel en expliquant 17,3 % de la variance, la «cohésion familiale» venant en deuxième avec 11,6 % de variance expliquée. Par la suite, les autres variables qui entrent dans le modèle chez les garçons, sont sensiblement les mêmes que pour l'ensemble des élèves: «sentiment d'être victime de discrimination en raison de l'apparence physique» (2,9 %), «violence verbale père-enfant» (2,5 %), «résultats scolaires» (1,5 %), «nombre d'amis fréquentant la même école» (1,2 %) et «relation positive avec la mère» (1,2 %).

Du côté des filles, la cohésion familiale ressort très clairement comme le premier prédicteur du sentiment de bien-être personnel avec 20,3 % de variance expliquée, soit environ la moitié de tout ce que le modèle explique comme variance (41,8 %). Le soutien perçu des amis vient en deuxième

Tableau 3

Prédiction du sentiment de bien-être personnel pour l'ensemble des élèves et selon le sexe

Total ($\underline{n}$ = 3192)	R^2 partiel	Garçons ($\underline{n}$ = 1386)	R^2 partiel	Filles ($\underline{n}$ = 1793)	R^2 partiel
Sexe (0 = masculin; 1 = féminin)	(-) 0,046				
Age	(-) 0,006				
1- Cohésion familiale (1 = faible à 4 = élevé)	(+) 0,177	Soutien perçu des amis (1 = faible à 4 = élevé)	(+) 0,173	Cohésion familiale (1 = faible à 4 = élevé)	(+) 0,203
2- Soutien perçu des amis (1 = faible à 4 = élevé)	(+) 0,100	Cohésion familiale (1 = faible à 4 = élevé)	(+) 0,116	Soutien perçu des amis (1 = faible à 4 = élevé)	(+) 0,099
3- Discrimination apparence physique (0 = oui; 1 = non)	(+) 0,034	Discrimination apparence physique (0 = oui; 1 = non)	(+) 0,029	Discrimination apparence physique (0 = oui; 1 = non)	(+) 0,040
4- Résultats scolaires (1 = faible à 5 = élevé)	(+) 0,019	Violence verbale père-enfant (1 = faible à 4 = élevé)	(-) 0,025	Ouverture de l'école à l'égard de l'élève (1 = faible à 4 = élevé)	(+) 0,026
5- Violence verbale père-enfant (1 = faible à 4 = élevé)	(-) 0,015	Résultats scolaires (1 = faible à 5 = élevé)	(+) 0,015	Violence verbale mère-enfant (1 = faible à 4 = élevé)	(-) 0,020
6- Relation positive avec mère (1 = faible à 4 = élevé)	(+) 0,015	Nombre d'amis de la même école	(+) 0,0121	Mutualité entre frères et soeurs (1 = faible à 4 = élevé)	(+) 0,017
7- Ouverture à l'école (1 = faible à 4 = élevé)	(+) 0,011	Relation positive avec la mère (1 = faible à 4 = élevé)	(+) 0,0119	Résultats scolaires (1 = faible à 5 = élevé)	(+) 0,014
Total	0,4225		0,3773		0,4183

Note: Le signe (+/-) sert à indiquer le sens de la relation entretenue par chacune des variables dans le modèle de prédiction.

comme c'était le cas pour l'ensemble des élèves et, par la suite, «*le senti-ment d'être victime de discrimination en raison de l'apparence physi-que*», l'ouverture de l'école à l'égard de l'élève, la violence verbale mère-enfant, la mutualité entre frères et soeurs et les résultats scolaires.

Donc, chez les élèves masculins, le soutien perçu des amis ressort comme le meilleur prédicteur du sentiment de bien-être personnel tandis que chez les filles, c'est la cohésion familiale. La séquence «*famille-amis-école*» qui se dégageait du tableau 2 s'applique donc aux filles mais doit être modi-fiée en «amis-famille-école» chez les garçons.

Les jeunes en difficulté

Voyons maintenant au tableau 4 ce que révèlent les données con-cernant les adolescents en difficulté. Première constatation ici, les modèles sont moins puissants avec 29,1 % de la variance expliquée pour l'ensemble, 34,6 % pour les garçons et 33,8 % pour les filles. Deuxièmement, des varia-bles nouvelles font aussi leur apparition dans la liste des prédicteurs significa-tifs et, chez les garçons, on assiste à une sorte de morcellement du modèle de régression donnant lieu à l'inclusion de cinq variables expliquant tout juste le seuil requis d'inclusion de 1 % de variance. Au nombre des nouvelles ap-paritions, nous retrouvons «*le sentiment d'être victime de discrimination religieuse*», «*la structure familiale*», «*le nombre d'amis fréquentant la mê-me école*», et «*a vécu une peine d'amour*» dans l'un ou l'autre des trois mo-dèles.

Troisièmement, on observe la même inversion des deux premiers prédicteurs selon le sexe que pour le sous-échantillon des élèves: chez les garçons, c'est aussi le soutien perçu des amis qui est le déterminant le plus puissant du bien-être personnel tandis que chez les filles, c'est la cohésion fa-miliale qui se maintient en tête comme dans la régression où les sexes ne sont pas distingués. Par ailleurs, la variable «*nombre d'amis fréquentant la même école*» se retrouve à la fois chez les garçons et chez les filles comme prédicteur significatif du sentiment de bien-être personnel indiquant que pour les jeunes CJ, le fait d'avoir une proportion plus grande de leur réseau d'amis dans leur milieu scolaire est associé au sentiment de bien-être personnel. Il s'agit vraisemblablement d'un indice d'intégration à la communauté scolaire. Le fait que la violence verbale vécue à l'école avec les enseignants occupe la troisième place comme prédicteur chez l'ensemble des jeunes CJ va aussi dans le sens d'un lien entre l'ajustement scolaire et le sentiment de bien-être personnel chez les jeunes CJ.

Une autre donnée du tableau 4 attire notre attention: dans le modè-le de régression des jeunes en difficulté, la variable «*structure familiale*» ex-plique de 1,3 % à 2,4 % de la variance du sentiment de bien-être personnel selon qu'il s'agisse de l'ensemble ou des garçons, cette variable n'apparaît pas chez les filles. Le sens de la corrélation indique que les garçons qui ne vivent pas avec leurs deux parents ont tendance à rapporter un sentiment de bien-être personnel plus grand. Ce résultat, contraire à la tendance observée dans la littérature chez les jeunes de familles réorganisées (Demo et Acock,

Tableau 4: **Prédiction du sentiment de bien-être personnel pour l'ensemble des jeunes en difficulté et selon le sexe**

	Total ($\underline{n}$ = 601)	R² partiel	Garçons ($\underline{n}$ = 309)	R² partiel	Filles ($\underline{n}$ = 288)	R² partiel
	Sexe (0 = masculin; 1 = féminin)	(-) 0,0436				
	Age	(+) 0,0018				
1-	Cohésion familiale (1 = faible à 4 = élevé))	(+) 0,1121	Soutien perçu des amis (1 = faible à 4 = élevé)	(+) 0,1164	Cohésion familiale (1 = faible à 4 = élevé)	(+) 0,1263
2-	Soutien perçu des amis (1 = faible à 4 = élevé)	(+) 0,0831	Cohésion familiale (1 = faible à 4 = élevé)	(+) 0,0784	Soutien perçu des amis (1 = faible à 4 = élevé)	(+) 0,0861
3-	Violence verbale enseignant-élève (1 = faible à 4 = élevé)	(-) 0,0266	Violence verbale élève-élève (1 = faible à 4 = élevé)	(-) 0,0270	Souhaiterais changements chez la mère (0 = oui; 1 = non)	(+) 0,0405
4-	Structure familiale (1 = père et mère ; 2 = autre)	(+) 0,0127	Discrimination religieuse (0 = oui; 1 = non)	(-) 0,0213	Discrimination apparence physique (0 = oui; 1 = non)	(+) 0,0282
5-	A vécu une peine d'amour (0= oui; 1 = non)	(+) 0,0112	Structure familiale (1 = père et mère ; 2 = autre)	(+) 0,0238	Violence verbale enseignant-élève (1 = faible à 4 = élevé)	(-) 0,0241
6-			Souhaiterais des changements chez le père (0 = oui; 1 = non)	(+) 0,0194	Nombre d'amis de la même école	(-) 0,0188
7-			Nombre d'amis de la même école	(+) 0,0125	Participation à la vie étudiante (0 = oui; 1 = non)	(-) 0,0140
8-			A vécu une peine d'amour (0 = oui; 1 = non)	(+) 0,0145		
9-			Qui s'occupe de choisir les activités que vous faites (1 = surtout ma blonde; 2 = les deux; 3 = surtout moi)	(+) 0,0103		
10-			Nombre d'heures par semaine passées avec ta blonde	(+) 0,0116		
11-			Depuis combien de temps sortez-vous ensemble	(-) 0,0109		
	Total	0,2911		0,3461		0,3380

<u>Note</u>: Le signe (+/-) sert à indiquer le sens de la relation entretenue par chacune des variables dans le modèle de prédiction.

1988; Hetherington, Stanley-Hagan et Anderson, 1989; Piérard, Cloutier, Jacques et Drapeau, 1994), doit être interprété en tenant compte du fait que seulement 17,4 % de nos jeunes CJ vivaient avec leurs deux parents au moment de l'enquête: 54,3 % étaient en situation de placement et, pour les autres, dans six cas sur dix, il s'agissait d'une famille réorganisée. Ceci étant dit, les résultats obtenus indiquent que pour les jeunes en difficulté, le fait de vivre avec ses deux parents n'est pas nécessairement un avantage quant au sentiment de bien-être personnel. Dans le groupe des élèves, il n'y a pas de lien entre la structure parentale et le sentiment de bien-être personnel (r = - 0,08) (Cloutier et coll. 1994a).

CONCLUSION

L'étude qui précède a l'avantage d'être fondée sur des données provenant de plusieurs milliers d'adolescents québécois, dont un sous-échantillon de jeunes vivant des difficultés sérieuses, ce qui permet d'atteindre une meilleure représentativité au regard de l'ensemble de la population. L'étude a aussi l'avantage de faire reposer l'évaluation du système relationnel sur les réponses obtenues à une centaine de questions dont une partie des réponses ont été regroupées dans une vingtaine d'indices de synthèse utilisés pour les analyses statistiques. Donc, le soutien empirique de la dimension relationnelle de la vie des jeunes possède ici de larges assises empiriques.

La démarche a permis d'apporter une réponse au moins partielle aux trois questions de recherche. D'abord, concernant la première question, les modèles de régression obtenus expliquent environ 40% de la variance du sentiment de bien-être personnel de l'ensemble des adolescents. Ensuite, pour l'ensemble des jeunes toujours, c'est le système relationnel familial qui ressort comme le déterminant le plus puissant de la variable dépendante, suivi du système relationnel avec les amis et ensuite de celui du monde scolaire. Bref, *«famille, amis, école»,* voilà l'ordre des déterminants du sentiment de bien-être personnel des adolescents québécois.

Toutefois, notre analyse renforce l'importance de ne pas mettre tous les adolescents dans le même sac. Le lien entre la vie relationnelle et le sentiment de bien-être personnel est différent selon qu'il s'agit des filles et des garçons, des élèves ou des jeunes en difficulté. En effet, tandis que chez les filles on observe globalement le même modèle que pour l'ensemble de répondants (où elles sont d'ailleurs majoritaires), c'est-à-dire «famille, amis, école», ce sont les relations avec les amis qui viennent en premier chez les garçons en tant que déterminants du sentiment de bien-être personnel. Cette distinction selon le sexe ressort dans les deux sous-échantillons, c'est-à-dire les élèves et les clientèles CJ. Enfin, la prédiction du sentiment de bien-être personnel est moins parfaite chez les répondants CJ où un nombre plus grand de variables relationnelles interviennent et chez qui, comme on pouvait peut-être s'y attendre, le système relationnel familial, quoique encore premier pour l'ensemble, soit moins puissant comme prédicteur; la moitié des jeunes CJ vivent ailleurs que dans leur famille.

En terminant, il importe de rappeler que l'étude qui précède a comme limite d'être essentiellement corrélationnelle, ce qui ne permet pas d'aller aussi loin que souhaité dans l'interprétation des tendances. Néanmoins, il ressort de notre analyse que la façon dont le jeune se sent dans sa peau est fortement tributaire de la qualité des relations qu'il vit dans sa famille et avec ses amis. Dans la mesure où les interventions sociales peuvent contribuer à protéger la qualité de ces relations, des pistes de prévention s'ouvriront. Malgré le fait que les amis prennent beaucoup d'importance à l'adolescence, la famille demeure un déterminant majeur du sentiment de bien-être personnel du jeune et c'est auprès d'elle qu'il semble le plus facile d'intervenir. Nos données ne nous permettent pas de situer la cible idéale pour effectuer de la prévention, mais il nous semble que tout programme de prévention visant à favoriser un meilleur climat familial devrait avoir comme objectif d'atteindre directement chacun des acteurs présents dans la famille même si les parents demeurent les acteurs principaux de la qualité des rapports qui y sont vécus. La disponibilité, le support et le respect sont autant de dispositions psychologiques que les parents se doivent de favoriser dans leurs rapports avec l'adolescent.❖

This study addresses the following question: What are the relational determinants of personal well being and their respective importance as considered by Quebecers adolescents? Data collected in the survey «Teens, their Families, and their lives» settings involved 3 822 adolescents of both sexes and were used to answer this question. The respondents, aged between 12 to 18, were adolescents attending school at the secondary level and a population of disturbed adolescents receiving services in Youth Centers. A version of the questionnaire addressed by mail had been prepared both in French and English.

Results of multiple regression analyses show that the relational world as a whole explains 40% of the variation in the adolescents' sense of personal well being. The importance given to the relational determinants is in the following order: family, friends and school. However, this link is different according to the answers given by girls or boys, and it also differs in high school adolescents as compared to those in care in youth centers. In our sample, we observe that the model ordering chosen by girls is the same that we find in the total number of respondants, that is: family, friends, and school, whereas relations to friends comes as the first determinant for boys, followed by relations with the family and relations at school. As for the adolescents in youth centers, the model explains less variation, as a larger number of relational variables intervene and moreover, the familial relational system appears to be a less powerful predictor. These results are further discussed stressing their implications for preventive care in this domain.

Note 1

La construction des indices de synthèse est basée sur l'analyse factorielle. Cette technique d'analyse a pour but de réduire le nombre de variables en fonction des interrelations qu'elles partagent et ainsi d'expliquer ces variables selon les dimensions sous-jacentes qui les unissent (le facteur). Des analyses factorielles avec rotation orthogonale de type VARIMAX sont appliquées et conformément aux résultats de ces analyses, un certain nombre de facteurs sont retenus à partir du critère du «eigenvalue», soit un «eigenvalue» supérieur à 1. Parmi les facteurs retenus, les items (énoncés) qui composent les indices sont identifiés à partir de leur saturation à chacun des facteurs: seuls les items qui présentent une saturation plus élevée sur un des facteurs sont conservés. Cette saturation doit être supérieure à 0,40, mais très peu d'items (seulement deux) sont retenus à partir de ce critère. En effet, la très grande majorité des items présentent des saturations supérieures à 0,60, voire même 0,70. Le score total obtenu, à la suite de la sommation des réponses à chacun des items composant l'indice, est alors utilisé dans les analyses.

Références

Ainsworth MDS, Blehar MC, Waters E, Wall S. *Patterns of attachment.* Hillsdale, NJ: Erlbaum, 1978.

Baumrind D. Parental disciplinary patterns and social competence in children. *Youth and Society* 1971;9:239-276.

Belsky J. The determinants of parenting: a process model. *Child Development* 1984;55:83-96.

Belsky J, Nezworski TM. *Clinical implications of attachment.* Hillsdale, NJ: Erlbaum, 1988.

Bolwby J. The child's tie to his mother. *Int J Psychoanalysis* 1958;39:1-23.

Bolwby J. *Attachment and loss. Vol. 1 - Attachment.* New York: Basic Books, 1969.

Bolwby J. *Attachment and loss. Vol. 2 - Separation.* New York: Basic Books, 1973.

Bradley RH, Whitside L, Mundfrom DJ, Casey PH, Kelleher KJ, Pope SK. Early indications of resilience and their relation to experiences in the home environments of low birthweight, premature children living in poverty. *Child Development* 1994;65:346-360.

Bretherton I. Theoretical contributions from developmental psychology. In: Boss PG, Doherty WJ, La Rossa R, Schumm WR, Steinmetz SK. *Sourcebook of family theories and methods: a contextual approach.* New York: Plenum Press, 1993.

Bronfenbrenner U. *The ecology of human development.* Cambridge, MA: Harvard University Press, 1979.

Bronfenbrenner U. Contexts of child rearing: problems and prospects. *American Psychologist* 1979;34:844-850.

Charbonneau C. *Les facteurs associés au rythme d'autonomisation de l'enfant dans son milieu de vie.* [Thèse de doctorat inédite] Québec, Université Laval, 1994.

Cloutier R, Champoux L, Jacques C, Lancop C. *Ados, familles et milieux de vie.* Rapport de l'enquête menée dans le cadre de l'Année internationale de la famille. Québec: Université Laval, Centre de recherche sur les services communautaires, 1994.

Cloutier R, Champoux L, Jacques C, Lancop C. *Nos ados et les autres: étude comparative des adolescents des Centres jeunesse du Québec et des élèves du secondaire.* Québec: Université Laval, Centre de recherche sur les services communautaires, 1994.

Cloutier R, Legault G, Champoux L, Giroux L. *Les habitudes de vie des élèves du secondaire: rapport d'étude.* Québec: Ministère de l'éducation, 1991.

Cohen J, Cohen P. *Applied multiple regression analysis for the behavioral sciences.* 2nd ed. Hillsdale, NJ: Erlbaum, 1983.

Demo DH, Acock AC. The impact of divorce on children. *J Marriage and* the Family 1988;50:619-648.

Goldschmih HH, Alansky JA. Maternal and infant temperament predictors of attachment: a meta-analytic review. J Consulting Clinical Psychology 1987;55:805-816.

Gottfredson MR, Hirschi T. A general theory of crime. Stanford, CA: Stanford University Press, 1990.

Hair JF Jr, Anderson RE, Tatham RL. Multivariate data analysis: with readings. 2nd ed. New York: Macmillan, 1987.

Hetherington EM, Stanley-Hagan M, Anderson ER. Marital transitions: a child's perspective. American Psychologist 1989;44:303-312.

Huston AC, McLoyd VC, Garcia Coll C. Children and poverty: issues in contemporary research. Child Development 1994;65:275-282.

Jessor R. Risk behavior in adolescence: a psychological framework for understanding and action. In: Rogers DE, Ginzberg E. (Eds). Adolescents at risk: medical and social perspectives. Boulder, CO: Westview Press, 1992.

Jessor R. Successful adolescent development among youth in high-risk settings. American Psychologist 1993;48:117-126.

Johnston JR. Family transitions and children's functioning: the case of parental conflict and divorce. In: Cowan PA, Field D, Hansen DA, Skolnick A, Swanson GE. (Eds). Family, self and society: toward a new agenda for family research. Hillsdale, NJ: Erlbaum, 1993.

Kagan J. Etiologies of adolescents at risk. In: Rogers DE, Ginzberg E. (Eds). Adolescents at risk: medical and social perspectives. Boulder, CO: Westview Press.

Olson DH, Spengle DH, Russell CS. Circumplex model of marital and family systems: I. Cohesion and adaptability, family types and clinical applications. Family Process 1979;18:3-28.

Parker G. Parental overprotection: a risk factor in psychosocial development. New York: Grune & Stratton, 1983.

Peterson JL, Zill N. Marital disruption, parent-child relationships and behavior problems in children. J Marriage and the Family 1986;48:295-307.

Piérard B, Cloutier R, Jacques C, Drapeau S. Le lien entre la séparation parentale et le comportement de l'enfant: le rôle du revenu familial. Revue québécoise de psychologie 1994;15(3):87-108.

Rosenthal R, Rosnow RL. The volunteer subject. In: Rosenthal R, Rosnow RL. (Eds). Artifact in behavioral research. New York: Academic Press, 1969.

SAS Institute Inc. SAS/STAT user's guide - version 4. 4th ed. Cary, NC: SAS Institute Inc, 1989.

Schneider-Rosen K, Rothbaum F. Quality of parental caregiving and security of attachment. Developmental Psychology 1993;29:358-367.

Steinberg L. Impact of puberty on family relations: effects of pubertal status and pubertal timing. Developmental Psychology 1987;23:451-460.

Stern DN. The interpersonal world of the infant. New York: Basic Books, 1985.

Tabaschnick BG, Fidell LS. Using multivariate statistics. 2nd ed. Nothridge: Harper Collins, 1989.

Tousignant M, Hamel S, Bastien MF. Structure familiale, relations parents-enfants et conduites suicidaires à l'école secondaire. Santé mentale au Québec 1988;13(2):79-93.

Youniss J. Social construction of adolescence by adolescents and parents. In: Grotevant HD, Cooper CR. (Eds). Adolescent development in the family. (New directions for child development, no 22) San Francisco: Jossey-Bass, 1983.

Photographie, Claire Beaugrand-Champagne

P.R.I.S.M.E. hiver 1995, vol. 5, no 1

ENTREVUE AVEC CAMIL BOUCHARD

LE PROJET 1, 2, 3, GO!

Christine BOLTÉ

Mme Bolté a terminé
une maîtrise en psychologie
à l'Université Laval.
Elle est présentement
coordonnatrice de projet
pour le G.R.A.V.E.
à l'Université du Québec
à Montréal.

P.R.I.S.M.E.: Camil Bouchard, quelles sont les données concernant la situation des enfants dans les quartiers populaires qui vous motivent à revoir et à améliorer notre engagement auprès d'eux?

Camil Bouchard: Je circule beaucoup en vélo et l'analyse que je fais des situations d'enfants dans les quartiers que je traverse est devenue truffée d'images. Dans certains quartiers de Montréal, les écoles sont situées à côté de très grandes artères de circulation, par exemple, il y en a une tout juste à l'entrée du pont Jacques Cartier. Ces endroits reflètent une réalité affreuse: on voit que beaucoup d'enfants sont laissés en marge, et pas simplement au plan socio-économique mais au niveau de la capacité qu'ont leurs parents de leur offrir un environnement adéquat pour se développer.

Un fait indéniable aussi, beaucoup d'enfants - entre 18% et 24% - ne mangent pas à leur faim. Dans un pays industrialisé comme le nôtre, c'est proprement scandaleux! On se croit une société équitable où la démocratie voit à ce que tous les gens aient des chances égales, mais ce n'est pas vrai. Par rapport à la situation de ces enfants, on se demande ce qui se passe avant qu'ils entrent à l'école, mais ce qu'on sait maintenant fort bien, c'est qu'il y a une bouffée de négligen-

Cette entrevue présente les grandes lignes du Projet 1, 2, 3, GO! qui vise à établir une Caisse d'entraide à l'enfance permettant de financer des projets communautaires dans divers milieux défavorisés. Partant de la publication de l'important rapport, «Un Québec fou de ses enfants» dont il a été la tête dirigeante, Camil Bouchard rappelle les fondements théoriques et les modèles dont s'inspire 1, 2, 3, GO!. Il décrit les démarches entreprises auprès de Centraide et de diverses associations en vue de la réalisation du projet, et les principes sur lesquels il se fonde, i.e. la concertation et la mobilisation des populations de quartiers défavorisés. En faisant état des objectifs visés, il mentionne les obstacles, tant au plan des mentalités qu'à celui de la gestion de l'intervention, qui devront être surmontés pour mener à bien ce projet qui cherche essentiellement à donner une meilleure emprise aux parents sur leurs conditions de vie et à assurer un meilleur avenir à leurs enfants.

ce envers les enfants de 4 - 5 ans. On commence à comprendre que pour être un bon parent, il faut d'abord avoir un enfant en santé. Dans les milieux défavorisés, les enfants sont plus souvent malades, donc moins gratifiants pour les parents. Il faut aussi des ressources matérielles et sociales, et dans ces quartiers, on n'a pas accès à de telles ressources. C'est là aussi qu'on trouve le plus de parentalité précoce. Les filles ont des enfants plus tôt, mais elles manquent d'expériences et de modèles. En fait, elles manquent de tout, et se retrouvent entre quatre murs avec un bébé, un frigo vide, une vie vide, pas de rêves. Je pense que la principale caractéristique des milieux défavorisés, c'est le manque de rêves, et quand on manque de rêves, on ne se développe pas!

P.R.I.S.M.E.: Vous orchestrez la mise sur pied d'une Caisse d'entraide à l'enfance appelée 1, 2, 3, GO! Comment tout ceci a-t-il commencé?

Camil Bouchard: La petite histoire de 1, 2, 3, GO!, c'est la rencontre de deux histoires. Il y a celle de la rencontre de Centraide du Grand Montréal avec «Un Québec fou de ses enfants». Notre rapport recommandait la création d'une caisse québécoise d'aide à l'enfance qui se donnait deux buts: le premier était de mobiliser la population autour d'un grand projet de bien-être pour les enfants. Le second concernait le plan financier: si l'on voulait que le gouvernement remplisse le rôle qui lui était donné dans le Rapport, il avait besoin d'environ 150 à 200 millions de dollars supplémentaires par année. Une façon d'aller chercher de l'argent neuf était de mobiliser la population, et d'avoir ainsi un financement relativement stable des projets d'innovation dans le domaine de la prévention.

Le gouvernement d'alors avait dit qu'il s'engagerait dans la mesure où le privé le ferait. J'ai donc réuni des associations comme les Caisses Pop, les Unions de familles, les

CLSC et les Centres jeunesse du Québec, qui m'ont confié la mission de rencontrer Centraide qui est spécialisé dans la mobilisation et la levée de fonds. Pourquoi Centraide? Parce que 42% des enfants du Québec vivent dans la région formée par la Montérégie, Montréal et Laval.

J'ai parlé de la rencontre de deux histoires: l'autre, c'est celle de Centraide qui avait aussi amorcé de son côté une réflexion. L'organisme désirait intégrer dans sa mission une approche de résolution de problèmes communautaires, ce qui signifie que les gens du milieu prennent en charge une situation, un objectif et s'investissent dans un projet. C'est dans ce contexte que nous nous sommes rencontrés et Centraide m'a dit oui tout de suite. Mais Centraide n'est pas le gouvernement: avec 24 millions par année, et plus de 300 groupes communautaires sur la liste d'attente, cet organisme ne dispose pas de 4 ou 5 millions dans ses goussets pour 1, 2, 3 GO!. Nous croyons par contre que notre projet peut suffisamment mobiliser les gens pour qu'ils investissent davantage dans Centraide, et si c'est le cas, il y aura plus d'argent pour notre projet.

P.R.I.S.M.E.: Et comment voyez-vous la participation financière du gouvernement?

Camil Bouchard: Le gouvernement devrait au moins participer selon le principe de la parité, i.e. que si la population de Montréal investit 1 million, le gouvernement pourrait en mettre autant. Ce serait un signal très clair qui montre que le projet en vaut la peine. Le gouvernement ne doit pas nécessairement être le moteur de toutes les actions entreprises mais il reste un acteur important qui indique à la population l'intérêt qu'elle doit prendre dans ce type de préoccupations.

P.R.I.S.M.E.: Quels sont les critères qui orienteront la sélection et le développement des projets de quartier?

Camil Bouchard: Centraide et ses partenaires vont d'abord sélectionner les quartiers. On ne surprendra personne en disant que les quartiers visés sont ceux où la densité des 0 - 5 ans est la plus forte, où il y a le plus de familles à bas revenu et où il y a le plus de jeunes parents. Une fois le quartier invité, c'est notre responsabilité de les soutenir dans le développement d'un projet le plus percutant possible en rapport avec le bien-être des enfants. Un quartier, par exemple, nous présentera un scénario avec lequel nous devrons composer et, en tant que promoteurs du projet, donner du feedback aux gens du quartier. Il ne s'agit pas d'ajouter simplement un autre projet, - on sait que dans certains quartiers, il n'en existe aucun, alors que d'autres ont un groupe communautaire par maison -, mais d'implanter une culture où les gens se préoccupent du bien-être des enfants et se fixent des objectifs à atteindre.

Il faut voir aussi qu'il s'agit d'une approche de quartier et non de familles à risque. L'important, pour nous. C'est que les gens d'un quartier arrivent à former un consensus autour d'un objectif. Nous allons leur proposer de choisir une période de transition où les besoins des 0 - 5 ans sont les plus criants: est-ce la période autour de la naissance, celle de l'acquisition du langage ou la période de transition préscolaire? Donc, tous les gens du quartier qui s'intéressent aux enfants se réunissent et créent un consensus autour d'un projet, selon un principe de concertation.

Un autre principe essentiel est celui de la mobilisation. Il faut que les gens arrivent non seulement à se concerter mais à nous convaincre qu'ils ont commencé ou vont commencer à mobiliser la population. Tous les moyens possibles peuvent être utilisés pour alerter la population et l'engager dans des actions autour de l'aspect sur lequel porte le consensus. Le troisième principe auquel nous tenons, c'est que les gens aient en tête une bonne idée des résultats qu'ils veulent atteindre. Il ne s'agit pas de faire pour faire; les objectifs fixés doivent pouvoir se traduire en des termes de suivi. Ceci est important parce qu'en travaillant dans un projet, on peut en arriver à se trouver intéressant, mais est-ce que son action donne quelque

L'objectif de 1, 2, 3, Go!, : que les enfants connaissent la réussite, la fierté et la dignité le plus tôt possible dans leur vie.

chose? Donc, concertation, mobilisation et capacité d'identifier des résultats précis.

P.R.I.S.M.E.: En implantant un mouvement où les gens se préoccupent du bien-être des enfants, vous favorisez aussi le sentiment de bien-être et de fierté chez les parents, voire dans la communauté...

Camil Bouchard: Effectivement. Et pour qu'un sentiment de fierté s'installe à propos des tout-petits, la première chose à faire n'est pas de parler de déficits, mais d'atouts et de compétences. Si on tente de prévenir des problèmes chez les enfants, il faut assurer un environnement qui favorise le développement des compétences et qui reconnaisse les atouts des enfants, des parents et des milieux. Et il y en a, même s'ils sont souvent cachés sous une couche d'insécurité, de précarité et de manque qui nous distrait de notre mission quand on cherche à s'attaquer directement à cette couche.

La philosophie de 1, 2, 3, GO! est à l'effet que les enfants connaissent la réussite, la fierté et la dignité le plus tôt possible dans leur vie. Par conséquent, il faut: 1. qu'on s'assure que l'enfant vit des expériences qui le mèneront au seuil de l'école dans un contexte où il se voit lui-même comme compétent, et 2. qu'on s'organise en même temps pour que les parents soient des acteurs et des témoins privilégiés du développement de leur enfant, de telle sorte qu'ils soient eux-mêmes convaincus de leurs capacités et de celle de l'enfant à réussir. Pour y arriver, il faut vraiment tenir à cette notion fondamentale des compétences de l'enfant: l'idée est simple pourtant, mais elle est difficile à faire passer...

P.R.I.S.M.E.: Quels sont les fondements théoriques qui appuient votre démarche?

Camil Bouchard: Au plan théorique, il s'agit d'une approche qui reconnaît les compétences et les richesses d'une communauté, qui les met à profit et cherche à redonner à cette communauté une image de compétence. On se rapproche ici de tout le mouvement d'*«empowerment»* qui consiste à donner aux parents marginalisés ou à risque de le devenir, les moyens d'avoir une emprise plus grande sur la gestion de leurs relations avec leur enfant. L'approche vise aussi à ce que les gens, du fait d'avoir accès à des ressources, se trouvent dans une situation où ils ne soient plus obligés d'attendre des services du gouvernement.

Dans notre modèle, le fait que Centraide, que des groupes communautaires et des gens d'affaires des communautés locales soient associés au projet est extrêmement important. C'est un modèle axé sur la cohésion, la solidarité, et dans lequel les gens qui ont du pouvoir vont devoir dire autre chose que *«Nous sommes solidaires...»*, mais se compromettre au niveau du partage des connaissances, et aussi du partage des pouvoirs décisionnels.

L'autre idée fondamentale du modèle est que l'économique et le social se côtoient. En matière de bien-être des enfants, il est devenu nécessaire de reconnaître la complexité de toute la question du développement. Quand l'ONU ou l'UNESCO décident de reconnaître les droits de l'enfant, ces organismes reconnaissent par là que le bien-être de l'enfant dépasse largement la qualité de sa relation avec son ou ses parents. Bien des décisions politiques, économiques et de planification sociale appartiennent à l'univers du bien-être, et elles sont transmises par les différents niveaux systémiques et ainsi jusqu'à l'enfant. La communauté dans laquelle l'enfant vit, les liens qui sont tissés ou qui ne le sont pas par rapport à son environnement immédiat, sont éminemment importants pour son bien-être, et ceci est une donnée très forte dans notre modèle.

P.R.I.S.M.E.: Comparés aux autres services déjà offerts dans les quartiers, quels sont les aspects novateurs de 1, 2, 3, GO!?

Camil Bouchard: Dans le schème de services actuel, l'idée qu'une communauté puisse se donner elle-même des objectifs quant au bien-être des enfants, n'existe pas. Un aspect original du projet est celui de s'éloigner absolument du «service au comptoir»; plutôt, les gens investissent selon un mode d'approche qui amène les familles qui en ont le plus besoin dans le quartier à se sentir invitées, accueillies, et aussi à voir qu'elles ont une place dans les décisions qui se prennent à propos de leur bien-être.

Et ça, c'est important! Il ne s'agit pas de surcharger les parents et de les mettre dans une situation de romantisme communautaire, mais de leur offrir un contexte où ils peuvent s'exprimer et, éventuellement, influencer le cours des événements à même les relations qu'ils entretiennent autour de projets et avec leurs enfants. Offrir un contexte où la présence des parents n'en est pas simplement une d'accompagnateurs de l'enfant mais aussi d'acteurs auprès de lui.

Il faut offrir un contexte où les parents s'expriment et peuvent influencer le cours des événements.

P.R.I.S.M.E.: A quel niveau d'implication peut-on s'attendre de la part des parents de quartiers défavorisés?

Camil Bouchard: Il ne faut pas être à ce point idéaliste et penser que le parent peut consacrer trois heures par jour. Dans les projets où l'on obtient un taux de réussite intéressant, le parent est mis à contribution avec son enfant pendant environ une heure par jour. Toutes sortes de schèmes existent; par exemple, le parent peut venir en

service de garde observer son enfant, discuter avec l'éducateur de ce que l'enfant fait, de ce qui se passe et de ses objectifs. Il y a aussi des formules de vi sites à la maison où les éducateurs et éducatrices rencontrent les parents dans leur milieu.

P.R.I.S.M.E.: Existe-t-il d'autres initiatives semblables en Amérique du Nord?

Camil Bouchard: On trouve des projets autour de la naissance et à propos du développement cognitif. Il existe aux Etats-Unis un très grand mouvement appelé «Success by Six». Plus près d'ici, il y a le projet de Ray Peters, «Better Beginnings», avec qui nous sommes en contact de plus en plus étroit. Il s'agit d'un projet du ministère des communautés de l'Ontario, subventionné par le gouvernement fédéral et d'autres sources, qui est bâti sur le même modèle que le nôtre. Après quatre ans de fonctionnement, l'évaluation est en cours et les premiers résultats sont extrêmement encourageants. Des indications sont à l'effet que l'abus et la négligence ont diminué dans ces quartiers et que les enfants sont en meilleure santé.

P.R.I.S.M.E.: Vous devez donc être informé des principaux obstacles que vous risquez de rencontrer. A quoi vous attendez-vous?

Camil Bouchard: Il faudra d'abord voir à solutionner les problèmes de compétitions sur le terrain. Il y a encore des gens, très attachés à leur service, qui mesurent leur succès à la grosseur de leur institution plutôt qu'aux résultats obtenus. Un autre problème est celui de l'essoufflement, et par conséquent, de la continuité. Une fois les projets démarrés, on doit pouvoir les soutenir pendant au moins 7, 8 ou 10 ans, et ceci est très important. On s'affronte par ailleurs à une limite, celle du financement des projets qui est très fragmenté. Dans beaucoup de services et de groupes communautaires, et même dans les services gouvernementaux, les gens doivent leur survie au fait de se conformer à des règles de l'organisme subventionnaire. Mais le pire obstacle reste celui de dépasser la mentalité du «*Le gouvernement est là, donc, pas besoin de s'inquiéter...*»; on a été habitué depuis des années à penser que tous les services devaient venir du gouvernement, et il faudra donc dépasser cette manière de penser.

Dans les quartiers défavorisés, un des grands problèmes rattachés à l'intervention auprès des parents, c'est qu'on tente d'en faire de bons parents sans répondre à des besoins prioritaires dans leur propre vie. On voudrait en faire des parents qui puissent résoudre tous les problèmes de leur enfant, mais en ne se préoccupant ni de la santé de l'enfant, ni de celle des parents

À quoi ressemblerait un quartier où les enfants se développent bien ?

ou de leur inquiétude par rapport à l'insuffisance de revenus, ou de problèmes de couple, de violence familiale ou d'isolement. Il faut avoir une approche beaucoup plus globale. Le bien-être de l'enfant recouvre un large ensemble de facteurs, dont celui du bien-être du parent, et lorsqu'on considère ce facteur, on peut multiplier par 10 ou par 20 les domaines auxquels il faudra s'intéresser.

P.R.I.S.M.E.: En tant que chercheur, que désirez-vous vérifier ou aller voir au sein des quartiers visés?

Camil Bouchard: Durant les premières années, nous allons tenter de voir ce que change dans la vie d'une communauté le fait d'installer un projet qui cherche à mobiliser tous et chacun - qu'ils aient ou non des enfants - autour du bien-être des tout-petits. Quels sont ces changements, du point de vue de l'appropriation de compétences et d'atouts, dans les capacités que les gens du quartier reconnaissent en assumant des responsbilités dans le développement des enfants, et par rapport à leur sentiment d'être des acteurs actifs et responsables.

D'autre part, il faudra aussi voir ce que le projet peut réellement changer dans la vie des enfants. On devra s'asseoir avec les gens de la communauté, puisqu'un processus d'évaluation ne devrait pas se faire autrement, et voir ce qu'ils souhaitent, eux, d'abord. Quelle image ont-ils des enfants qui se développent dans leur quartier? A quoi ressemblerait, selon eux, un quartier où les enfants se développent bien? Nous avons tous, en tant que théoriciens du développement, nos idées là-dessus, mais il faut fonder leur validité dans l'environnement lui-même.

P.R.I.S.M.E.: En terminant, à quoi ressemblerait, selon vous, un projet de quartier percutant?

Camil Bouchard: Dans le projet de quartier dont je rêve, il y aurait deux ou trois acteurs extrêmement pertinents mais non prévus, tels par exemple les bureaux de travail Québec. Ces bureaux voient passer tous les gens à la recherche ou en attente d'emploi. Sachant que ces personnes ont des enfants entre 0 et 5 ans, ils pourraient leur offrir la possibilité, lorsqu'ils sont dans des programmes d'employabilité, d'inscrire leurs enfants dans un milieu de garde et contribuer à ce que les parents partagent en même temps des activités avec leurs enfants, en considérant que c'est là une partie de leur programme d'employabilité. Dans le monde d'opérations d'un projet comme je l'entrevois, il y aurait une connivence entre les personnes qui entourent les parents et qui ferait en sorte de les encourager à s'inscrire eux-mêmes dans un processus de développement avec leur enfant.❖

This interview offers the main guidelines of the project 1, 2, 3, GO! which essential goal is to finance community projects designed to assist parents living in poor and underprivilegded settings in their role to ensure the development of their children. After the publication of his largely publicized report, «Un Québec fou de ses enfants», Camil Bouchard mentions the theoretical grounds and models on which this new project is built. He describes his contacts with Centraide and various associations in the health care system to promote the financing of 1, 2, 3, GO!, and further indicates the principles, especially concertation and mobilization, that should govern the implantation of these community based projects. In the light of objectives pursued, he finally discusses some of the obstacles that could undermine these actions and stresses further the major goal of the project which is the empowerment of all parents and people involved in it and the promotion of a better future for children.

Évaluation des effets d'un programme pour décrocheurs scolaires offert dans le secteur communautaire

L'ampleur du phénomène de l'abandon scolaire au niveau secondaire préoccupe la société québécoise. Au cours des quinze dernières années, on a vu se multiplier chez nous les programmes d'intervention auprès des jeunes décrocheurs. Il s'avère cependant difficile de connaître précisément leurs résultats puisqu'il n'existe pratiquement aucune recherche évaluative systématique de ces programmes.

La recherche décrite ici porte sur les effets du programme que la *"La Maison de Jonathan"* offre aux adolescent(e)s qui ne fréquentent plus l'école et qui ne détiennent pas un diplôme d'études secondaires. Il s'agit dont d'une évaluation de programme de type sommatif. L'étude est réalisée sous la direction de Claire Chamberland, professeure à l'École de service social de l'Université de Montréal, avec la participation de Alain Hébert, étudiant au programme de maîtrise en service social.

"La Maison de Jonathan" est un organisme communautaire de Longueuil qui a été fondé en 1981 pour venir en aide aux jeunes en difficulté. Se basant sur son expérience d'intervention et sur la littérature, l'organisme postule que l'image négative que les décrocheurs scolaires auraient d'eux-mêmes constitue un obstacle important à leur réinsertion socio-professionnelle. Le programme vise à hausser l'estime de soi des participants en leur faisant vivre des petits succès à travers des ateliers ma-

nuels et académiques, un suivi psychosocial et des activités ludiques et de socialisation. Dans un souci de mieux en connaître les résultats, l'organisme a accepté qu'il fasse l'objet de cette recherche et a assuré sa collaboration tout au long du processus, notamment durant la phase de collecte des données.

Pour à la fois respecter le rationnel du programme et ne pas limiter l'évaluation qu'aux effets liés à son objectif immédiat en rapport avec l'estime de soi, on a adopté le cadre conceptuel de Susan Harter relatif au sentiment de compétence (University of Denver, 1988). La question centrale de la recherche est donc la suivante: "Dans quelle mesure le programme réussit-il à accroître le sentiment de compétence des jeunes qui y participent?" Pour y répondre, deux questionnaires ont été administrés aux 34 participants du programme de l'année 1992-1993 lors de leur inscription (temps 0-1, s'échelonnant de septembre à mars); il s'agit d'une traduction en français de la version anglaise élaborée par Harter et du questionnaire abrégé de Moos sur la perception du climat familial. De ce nombre, 26 garçons et filles de 12 à 17 ans (M = 15,2) ont ensuite passé les mêmes questionnaires immédiatement après la fin du programme, en juin (temps 0-2).

On est présentement à l'étape de l'analyse de ces données quantitatives. Le questionnaire de Harter a permis d'obtenir des cotes pour neuf sous-échelles correspondant à huit domaines spécifiques de compétence et à l'estime de soi. Un test de différence de moyennes des scores "avant" et "après"(t-test) pour n=26 donne selon un seuil établi à .05 des résultats significatifs qui vont dans le sens des changements souhaités pour huit des neuf sous-échelles, incluant celle de l'estime de soi. Il reste par ailleurs: 1) à vérifier l'incidence des deux variables intermédiaires retenues (perception du climat familial et temps de participation) sur ces résultats préliminaires; 2) à faire des corrélations entre ces résultats et certaines variables antécédentes (âge, sexe, etc.) des 26 sujets qui ont passé le post test; 3) et à expliquer pour quelles raisons il a été impossible de faire passer ce dernier aux huit autres sujets, les cas d'attrition.

Afin de compenser les faiblesses du manque d'un groupe témoin mais aussi pour élargir davantage encore la perspective d'évaluation, trois entrevues de groupe semi-dirigées ont été réalisées et enregistrées sur bande audio au temps 0-2. Les données qualitatives ainsi recueillies seront analysées de manière à identifier d'autres genres d'effets, le cas échéant, que le programme aurait eu sur les participant(e)s selon leur propre parole. Enfin, une mesure d'impact sera prise sous peu. Deux ans après la fin du programme, donc, on contactera les 34 sujets pour connaître leur occupation présente. À la lumière de ces données, on pourra établir si les résultats obtenus quant aux effets sur le sentiment de compétence de ces jeunes ont des liens avec leur réinsertion socio-professionnelle.

La portée de cette recherche est forcément limitée en raison du devis et du faible échantillon; elle constitue néanmoins un premier pas dans l'évaluation systématique des pratiques d'intervention du secteur communautaire auprès des décrocheurs scolaires. Elle mérite qu'on y prête notre attention de très près.

Jean-François SAUCIER

COURRIER DES LECTEURS

Monsieur le rédacteur en chef,

J'ai beaucoup aimé le dernier dossier intitulé «Soigner et Eduquer en hôpital de jour». La raison de mon intérêt tient dans les multiples références données par le Professeur Hochmann en regard de l'histoire de la pédopsychiatrie et de ses chefs de file: Itard, Séguin et Bourneville (n'oublions pas non plus Delasiauve!).

Je déplore cependant l'impression courante et erronée qui persiste au sujet d'Itard par rapport à cette fameuse «erreur», et de la confusion qui continue de régner autour de la question, à savoir quel auteur fut le premier à décrire les symptômes de l'autisme. A ce sujet, il est vrai qu'Itard lui-même admet son échec à réhabiliter Victor, mais il n'abandonna pas pour autant ses recherches sur le mutisme et bâtit plutôt sur ses expériences antérieures.

Par rapport au terme lui-même d'«autisme», il est faux de dire que Séguin fut le premier à décrire les symptômes, comme le maintient le Professeur Hochmann, puisqu'Itard en décrivit deux cas dans son mémoire de 1828. Kanner serait en conséquence perçu comme le premier à décrire l'autisme, mais cette conclusion est mal fondée; il a de fait donné une description plus complète et un sens nosographique à un groupe de symptômes qui avaient déjà été décrits par d'autres auteurs (Séguin, Itard, Haslam).

Finalement, par rapport au débat entre le Professeur Lemay et le Professeur Hochmann, il m'apparaît qu'ils ne veulent pas se prononcer sur l'étiologie des psychoses infantiles. Je crois pourtant qu'il faut arriver au XXIe siècle! La prépondérance des évidences indique une base biologique. Pour postuler une autre base, il faudrait se dissocier de toute l'évidence accumulée sur la schizophrénie (CT Scan, étude de récepteurs, etc.). Soyons logiques dans nos propos étiologiques!

Normand Carrey, psychiatre
Hôpital Royal d'Ottawa

L'épidémiologie de la santé mentale de l'enfant et de l'adolescent

J.P. Valla et L. Bergeron, PUF, Paris, 1994, Collection Nodules, 128 pages

Cet ouvrage présente pour la première fois aux lecteurs francophones la problématique de l'épidémiologie de la santé mentale de l'enfant, discipline jusqu'à présent essentiellement anglo-saxonne.

L'épidémiologie est traditionnellement définie comme l'étude de la distribution des maladies dans les populations ainsi que des facteurs qui influencent cette distribution.

Les auteurs montrent en quoi l'épidémiologie, souvent considérée comme un sujet difficile, repose en partie sur une systématisation de la démarche clinique lorsqu'il s'agit de la santé mentale de l'enfant. En même temps qu'ils expliquent les ressemblances et les différences entre les méthodes épidémiologiques et celles de l'évaluation individuelle, les deux chercheurs font le lien entre l'épidémiologie et les principales théories sur les causes des problèmes de santé mentale des enfants.

L'ouvrage est ainsi articulé avec le vécu d'un grand nombre de lecteurs et s'adresse autant aux étudiants, éducateurs et enseignants qu'aux professionnels de la santé qui travaillent auprès des enfants: pédopsychiatres, médecins, psychologues, assistants sociaux, paramédicaux, de même qu'aux administrateurs, personnel des DASS, etc..

Enfin, cette parution met en évidence la place centrale que l'épidémiologie a acquise au cours des vingt dernières années dans le domaine de la santé mentale des enfants.

Jean-Pierre Valla est professeur agrégé au Département de psychiatrie de l'Université de Montréal, pédopsychiatre et chercheur au service de recherche de l'hôpital Rivière-des-Prairies, et Lise Bergeron est psychologue et chercheure au service de recherche de l'hôpital Rivière-des-Prairies.

Céline BARBEAU

Normand CARREY, Sheik HOSENBOCUS
psychiatres

Le traitement psychopharmacologique d'enfants et d'adolescents souffrant de troubles obsessionnels-compulsifs

Il a été établi que les troubles obsessionnels-compulsifs pouvaient se développer chez les enfants d'âge prépubertaire de même que chez les adolescents qui sont maintenant traités en raison de la détresse souvent marquée qu'ils éprouvent en raison de ces troubles. Les symptômes sont les mêmes chez les enfants que ceux retrouvés à l'âge adulte et plusieurs recherches ont montré que l'âge moyen de leur début variait entre 9 et 13 ans (Zaremba Berg, Rapoport et al., 1989). Les troubles obsessionnels-compulsis sont susceptibles de se chroniciser; c'est pourquoi l'identification précoce et le traitement peuvent aider à soulager les enfants et leur famille de ces perturbations qui nuisent de façon significative à leur fonctionnement et aux relations avec leur entourage.

Au cours des années, les troubles obsessionnels-compulsifs ont été traités selon une variété de modalités incluant la thérapie behaviorale et les psychothérapies d'orientation dynamique ou cognitive. Des découvertes récentes ont cependant mis en évidence que le trouble était neuro-psychiatrique. Quelques études ont ainsi fait état d'une dysfonction sérotonergique, ce qui a conduit à l'utilisation des inhibiteurs du recaptage de la sérotonine qui sont en train de devenir un aspect important du traitement psychologique des troubles obsession-nels-compulsifs (Riddle, Scahill et al., 1992).

Plus spécifiquement, plusieurs études bien contrôlées (DeVeaugh-Geiss, Moroz et al., 1992; Flament, Rapoport et al., 1985) ont établi la relative sécurité de la Clomipramine, un anti-dépresseur sérotonergique tricyclique utilisé dans le traitement des troubles obsessionnels-compulsifs. Cependant, même si cette médication a aidé plusieurs jeunes, spécialement des adolescents, on a remarqué que certains sujets ne répondaient pas au traitement. On a par ailleurs noté une certaine résistance à utiliser la médication chez les enfants à cause de divers effets secondaires, tels la somnolence et certains symptômes anticholinergiques. Ces effets rendent la médication plus difficile à tolérer chez les enfants d'âge scolaire.

Récemment, l'arrivée du SSRI a ouvert une autre avenue dans l'intervention thérapeutique. Plusieurs études ont indiqué une bonne réponse à des médicaments comme le Fluoxetine (Prozac).

Il faut toutefois garder à l'esprit que certains troubles diagnostiqués chez les enfants peuvent être associés à des traits obsessionnels ou compulsifs, voire à un diagnostic de troubles obsessionnels-compulsifs. Il devient donc particulièrement important dans l'évaluation diagnostique de confirmer ou d'éliminer la présence de facteurs de comorbidité. De même, on doit être attentif à traiter de façon spécifique au plan psychopharmacologique les troubles co-existant avec les troubles obsessionnels-compulsifs.

Les troubles qui peuvent être diagnostiqués en association avec les troubles obsessionnels-compulsifs incluent les troubles oppositionnels, le trouble déficitaire de l'attention avec hyperactivité, les troubles des conduites, les troubles anxieux et même le syndrome de la Tourette. On s'aperçoit par exemple que lorsque le médecin traite un trouble déficitaire de l'attention sans intervenir sur la composante obsessionnelle-compulsive présente dans le cas, les résultats sont moins bons.

Etant donné les nouveaux moyens mis à leur disposition, les médecins utilisent souvent une combinaison dans la médication administrée d'une part, en regard du trouble principal, et d'autre part, pour traiter les symptômes associés à celui-ci (traits de comorbidité). En fait, dans les troubles de comportement avec crises de colère violentes qui sont associés à des troubles obsessionnels-compulsifs, on devrait considérer l'impulsivité et le comportement compulsif comme des manifestations se situant aux deux extrémités du même spectre. Ces deux symptômes peuvent impliquer une perturbation du même système neuro-transmetteur, spécialement du système sérotonergique, même si d'autres neuro-transmetteurs peuvent aussi être en cause.

Voici quelques vignettes cliniques dans lesquelles l'intervention psychopharmacologique a aidé des enfants et des adolescents qui présentaient des troubles complexes (impliquant divers facteurs de comorbidité) tels que mentionnés ci-haut.

Cas no 1

C. est une adolescente âgée de 15 ans, inscrite en 9e année où elle se situe dans la moyenne des élèves. Le motif de la consultation concerne des rituels qui l'affectent sérieusement et qui ont commencé il y a environ quatre ans alors qu'elle était en 5e année. Les comportements ritualisés se retrouvent dans une variété de situations. Ainsi, certains rituels sont liés au lever, telle que se laver les mains et le visage et se regarder dans le miroir un nombre exact de fois, C. étant convaincue que tel nombre de fois est meilleur que tel autre. Elle doit aussi suivre un ordre spécifique pour peigner ses cheveux, et passer les bras et les jambes dans ses vêtements en s'habillant. Les rituels au coucher concernent la manière d'éteindre les lumières et de se coucher, par exemple, avec ses cheveux disposés et en s'étendant sur l'abdomen d'une certaine façon. Dans la rue, si elle marche à côté de personnes minces, elle fait avec sa bouche un mouvement comme pour les avaler, mais si elle rencontre des personnes grasses, le mouvement de sa bouche en est un de souffler ou de cracher.

C. est une fille intelligente et très consciente que ses rituels sont grotesques. Elle avoue cependant n'avoir aucun contrôle pour les empêcher; de plus, elle se dit très frustrée puisqu'ils prennent beaucoup de son temps durant la journée.

Un diagnostic de troubles obsessionnels-compulsifs fut alors posé, et on administra la Clomipramine à raison de 25mg h.s. (au coucher). Dès la première semaine de traitement, elle se mit à dormir mieux, et trois semaines plus tard, les rituels avaient diminué en intensité et ils étaient moins stressants qu'avant. La Clomipramine fut alors augmentée à 50mg h.s. et il s'ensuivit une chute dramatique des comportements ritualisés aussi bien que des préoccupations de C. à ce sujet.

En association avec la médication, une thérapie d'orientation psychodynamique aida C. à faire face à certaines questions liées à l'adolescence, et quelques séances de thérapie familiale s'ajoutèrent au traitement.

Après une année de suivi avec une prise de médication au même dosage, l'adolescente continue de bien se porter. Un électrocardiogramme a été fait et a démontré un blocage faible A V du premier degré, mais pas d'anomalies au niveau de l'intervalle OT. Ces résultats n'ont pas entraîné d'interruption de la médication.

Cas no 2

J. est un garçon de 12 ans inscrit en 6e année. Au moment de l'évaluation, le motif de la consultation concerne des inquiétudes autour du fait de mourir et du thème de la mort. Le garçon ne réussit pas à chasser ces idées qu'il ressasse continuellement, ce qui l'entraîne à se retirer, à avoir peur des étrangers, et à entretenir des craintes autour du fait de grandir et de vieillir trop rapidement. L'avenir le préoccupe exagérément de même que certains événements passés. Il tend à rationaliser et à se défendre en intellectualisant beaucoup autour de ces questions, et ceci le rend très ambivalent et indécis au point où il ne peut plus bien fonctionner et, en conséquence, il se sent très angoissé.

A la maison, il aime que tout soit parfaitement propre et rangé, et devient anxieux devant le moindre désordre. Il insiste pour que les choses soient faites d'une certaine façon et revient longtemps sur la moindre faute qu'il a pu commettre. Il est aussi porté à retourner à divers endroits pour contrôler les choses, et chaque soir, il va vérifier toutes les portes pour s'assurer qu'elles sont bien fermées. On retrouve chez lui différents rituels à propos de tâches qu'il est censé faire et il se montre anxieux si elles ne sont pas faites de la bonne fa-

çon. Le diagnostic de Troubles obsessionnels-compulsifs fut posé dans ce cas, associé à un trouble d'hyperanxiété.

On évalua que les comportements obsessionnels-compulsifs devaient être traités en premier puisque J. était très angoissé par ses rituels. Le traitement fut initié par l'administration de Clomipramine, à raison de 40mg par jour, i.e., 10mg b.i.d. et 20mg h.s. On assista à une certaine diminution des obsessions et des comportements compulsifs; le garçon se sentait aussi plus calme. Mais, six semaines plus tard, devant le fait que plusieurs des obsessions et des compulsions étaient toujours présentes, la posologie fut alors augmentée à 50mg. La réponse qui suivit n'étant pas optimale, la Clomipramine fut portée à 60mg par jour. A ce dosage, les comportements compulsifs diminuèrent de façon dramatique: le garçon cessa de vérifier les verrous, les portes, etc., et les rituels diminuèrent franchement. Cependant, J. n'était pas heureux et se disait préoccupé par toutes sortes d'événements. Sa grand-mère faisait des visites à la maison à cette époque et il craignait continuellement qu'elle meure.

En raison de la forte composante anxieuse, le Xanax à 0.125mg, trois fois par jour, fut ajouté à sa médication sans cependant amener beaucoup d'amélioration. J. se plaignait de somnolence et ne sentait pas que le Xanax aidait à réduire son anxiété, et il cessa de prendre sa médication avant la visite suivante. La Clomipramine fut alors augmentée à 75mg par jour mais sans entraîner de soulagement de l'anxiété.

Devant le succès partiel du traitement et du fait que l'anxiété représentait encore une partie significative de ses problèmes, on changea la médication pour le Prozac, à 20mg par jour. On nota, environ trois semaines après, une amélioration marquée dans l'état de J.: ses rituels et ses comportements compulsifs avaient énormément diminué, mais surtout, il était moins soucieux et inquiet. Le Prozac fut alors porté à 30mg par jour, et il s'ensuivit des améliorations au niveau de l'anxiété, des préoccupations morbides, des comportements aussi bien que des rituels.

Enfin, le Prozac fut augmenté à 40mg par jour, ce qui entraîna des progrès importants, lesquels se sont maintenus avec ce dosage depuis plus de six mois. Une rencontre faite à l'école a indiqué que les professeurs étaient très satisfaits des réactions de J., et que celui-ci n'avait plus de difficultés à aller jouer dehors et qu'il se montrait disposé à s'engager dans diverses activités.

Cas no 3

S., un garçon de 9 ans, fut référé en raison de comportements violents à la maison et à l'école, et dans ses interactions avec ses pairs. Un diagnostic de trouble déficitaire de l'attention avec hyperactivité associé à une faible tolérance à la frustration, de l'entêtement et de l'obstination, avait déjà été posé dans ce cas. On avait aussi reconnu un trouble oppositionnel avec des éléments de troubles des conduites.

L'histoire passée indiquait que l'enfant était perfectionniste et se montrait préoccupé lorsque les choses n'étaient pas faites d'une certaine façon. Il était aussi porté à être malheureux quand des changements survenaient dans l'environnement. Dès qu'il était préoccupé par quelque chose, il ressassait constamment, devenait angoissé et ne pouvait s'empêcher d'y penser. Devant son attitude, ses amis l'agaçaient, ce qui provoquait des bagarres à l'école, ou ils l'évitaient. Si S. faisait quelque chose de mal ou s'il perdait un objet, il pouvait passer des heures à y penser. Quand il était plus jeune, il s'était montré obsédé par l'idée d'être toujours le premier, par exemple, si l'on distribuait quelque chose, il voulait être servi le premier, sans quoi il devenait anxieux. Le fait de le raisonner ne servait à rien et il disait ne pas pouvoir chasser certaines idées de son esprit.

Au moment de l'évaluation, il recevait la médication suivante: Ritalin SR, 20mg par jour, associé à 10mg de Ritalin régulier, pris en après-midi. Même si les professeurs remarquaient certains changements positifs dans sa capacité d'attention, de concentration et de persévérance au travail à l'école, le seuil de tolérance très bas à la frustration et les comportements agressifs rendaient très difficiles à S. de réussir dans diverses situations en classe. Les professeurs constataient aussi qu'il était très anxieux si les choses n'étaient pas faites parfaitement. On retrouvait dans l'histoire du garçon des signes d'angoisse de séparation alors qu'il fréquentait la maternelle. Depuis qu'il prenait du Ritalin, il avait développé des manies - se ronger les ongles, fouiller dans son nez et grincer des dents - qui n'avaient fait qu'empirer avec l'augmentation du dosage de Ritalin.

Lors de l'évaluation, il était sur le point d'être renvoyé de l'école à cause de provocations et d'affrontements verbaux vis-à-vis de son professeur, et de disputes avec les autres enfants. En tenant compte de la présence de changements brusques d'humeur, d'irritabilité et de crises de colères, on jugea bon de prescrire la Clonidine 0.1mg, à raison d'un demi-comprimé deux fois par jour et un comprimé h.s.. Suivit une courte période pendant laquelle il devint plus performant à l'école et dormait aussi beaucoup mieux la nuit. Cependant, deux mois plus tard, l'école décida de le placer dans une classe d'intervention spéciale; ses comportements agressifs étaient réapparus et il se montrait opposant et provocant. Personne ne réussisait à le rejoindre pour le confronter à ses difficultés. Fatiguée de la situation, la famille considéra alors de le retirer de l'école et de lui faire poursuivre sa scolarité à la maison.

L'évaluation au plan mental qui fut faite à la suite d'un conflit important qui provoqua son renvoi de l'école, indiquait que le garçon était obsédé par ce qui était arrivé, cependant qu'il était incapable de considérer la réalité de la situation.

Il fut alors décidé d'ajouter le Prozac à la médication de Ritalin et de Clonidine déjà administrée. On prescrivit le Prozac, 10mg, qui fut plus tard augmenté à 20mg par jour. La Clonidine fut interrompue le jour mais on poursuivit cette médication le soir pour prévenir des troubles de sommeil.

Lorsqu'il fut revu quatre semaines plus tard, il était très calme, plus obéissant et agréable de contact. Les parents ne pouvaient croire à pareil changement et ils remarquaient aussi que leur fils n'était plus aussi craintif qu'auparavant; il pouvait même aller au terrain de jeu et commençait à prendre l'autobus par lui-même sans aucun problème.

Par la suite, une rencontre à l'école qui devait durer une heure fut écourtée à quinze minutes puisque chacun avait remarqué les changements positifs survenus dans l'état du garçon, et il n'y avait donc plus de problèmes majeurs du point de vue de l'école. En fait, l'ajout de Prozac à sa médication fit vraiment une différence dans ce cas.

●◇ ●◇

Il ressort de ces exemples que les troubles obsessionnels-compulsifs chez l'enfant et l'adolescent répondent à la Clomipramine ou au Prozac. Par ailleurs, dans les cas où les troubles obsessionnels-compulsifs sont associés à d'autres symptômes, le Prozac semble plus approprié et il représente un bon médicament d'appoint même lorsque le traitement médicamenteux utilise aussi des stimulants. En somme, on devrait être vigilant en évaluant les troubles des conduites et s'assurer que les troubles anxieux associés ou les troubles obsessionnels-compulsifs, spécialement des idées obsessives, sont aussi traités dans ces cas .

La prochaine chronique aura comme thème: Divergence entre l'utilisation de la psychopharmacologie x

Références

DeVeaugh-Geiss J., Moroz G., Biederman J. et al., (1992) Clomipramine Hydrochloride in Childhood and Adolescent Obsessive-Compulsive Disorder. A Multicenter Trial. *J. Amer. Acad. Ch. Adol. Psychiat.*, 31;45-49.

Fl ament M.F., Rapoport J.L. Berg C.J. et al., (1985) Clomipramine Treatment of Childhood Obsessive-Compulsive Disorder. A Double-blind Controlled Study. *Arch. Gen. Psychiatry*, 42;977-983.

Riddle M.A., Scahill L., King R.A. et al., (1992) Double-Blind, Crossover Trial of Fluoxetine and Placebo in Children and Adolescents with Obsessive-Compulsive Disorder. *J. Amer. Acad. Ch. Adol. Psychiat.*, 31,6: 1062-1069.

Zaremba Berg C., Rapoport J.L. Whitaker A., et al., (1989) Childhood Obsessive - Compulsive Disorder: A Two-Year Prospective Follow-up of a Community Sample. *J. Amer. Acad. Ch. Adol. Psychiat.*, 28, 4: 528-533.

❖

Nous invitons nos lectrices et lecteurs à partager leurs expériences et à nous faire parvenir leurs commentaires dont nous ferons état dans un prochain numéro. Le courrier doit être adressé comme suit:

Département de pédopsychiatrie
Hôpital Royal d'Ottawa
1145, avenue Carling
Ottawa, Ontario K1Z 7K4.

CHAMP D'INTÉRÊT ET OBJECTIFS DE LA REVUE

P.R.I.S.M.E. vise la promotion de la théorie, de la recherche et de la pratique clinique en psychiatrie et en santé mentale de l'enfant et de l'adolescent, incluant toutes les disciplines afférentes, par la publication en langue française de textes originaux portant sur le développement et ses troubles, sur la psychopathologie et sur les approches biopsychosociales déployées dans ce champ. L'apport grandissant de nombreuses disciplines connexes aux progrès réalisés en pédopsychiatrie et en psychologie du développement incite la revue à encourager les contributions des membres de ces diverses spécialités.

Chaque numéro comprend un dossier sur un thème d'intérêt regroupant des textes qui cherchent à approfondir divers aspects de la question. Ce dossier est élaboré par l'équipe de rédaction ou par un groupe de professionnels particulièrement intéressés à un sujet donné qui pourra agir à titre d'éditeur invité avec le support technique de l'équipe.

Les textes doivent présenter une qualité autorisant leur publication auprès d'un public constitué principalement d'intervenants, de cliniciens, d'enseignants, d'étudiants universitaires et de chercheurs. Ils pourront prendre l'une ou l'autre des formes suivantes: revue de littérature, présentation de cas, rapport de recherche, essai théorique, synthèse ou rapport de lecture.

Les articles soumis doivent apporter une contribution originale aux connaissances empiriques, à la compréhension théorique du sujet abordé ou au développement de la recherche clinique. Les revues de littérature passeront en revue un important champ d'intérêt en santé mentale de l'enfant et de l'adolescent ou des interventions spécialisées auprès des enfants et de leurs familles. Les présentations de cas couvriront des questions cliniques importantes ou innovatrices sur le plan du diagnostic, du traitement, de la méthodologie ou de l'approche.

Les personnes engagées dans une activité de recherche en psychiatrie de l'enfant, en psychologie du développement et dans des disciplines connexes, sont invitées à communiquer à la revue un aperçu d'une recherche en cours ou récemment achevée. Ces rapports présenteront de façon aussi concise que possible la recherche effectuée incluant la méthodologie et les tests utilisés, l'ensemble des résultats, leur discussion et les références spécifiques au domaine en question.

Par ailleurs, des présentations d'intérêt faites dans le cadre de colloques ou de journées d'études pourront être publiées. De même, les personnes ayant produit un document vidéo portant sur la santé mentale de l'enfant ou les domaines voisins sont invitées à en faire parvenir une brève description. Enfin, le courrier des lecteurs est offert comme tribune à tous ceux qui voudraient réagir à des textes déjà publiés dans la revue ou qui désireraient faire état de questions posées par la pratique dans leur milieu professionnel.

A L'INTENTION DES AUTEURS

Toute personne intéressée à soumettre un texte à la revue est invitée à le faire en tenant compte des règles de présentation suivantes.

Le texte soumis doit être dactylographié à double interligne et sa longueur ne doit pas excéder 15 pages. Les tableaux, figures et illustrations seront numérotés et produits sur des pages séparées et leur emplacement dans le texte indiqué dans chaque cas. Les citations doivent être accompagnées du nom de l'auteur et de l'année de publication du texte cité, sans numérotation; de même, les références à des livres ou articles sont placées dans le texte en mentionnant le nom de l'auteur entre parenthèses.

La liste des références en fin de texte ne doit contenir que les noms des auteurs cités dans le texte; pour sa présentation, on se reportera aux exigences pour les manuscrits présentés aux revues biomédicales (Can Med Assoc J., 1992) ou aux numéros précédents de la revue.

L'auteur doit faire parvenir trois exemplaires sur papier de son texte (+ disquette 3.5 Word Perfect IBM ou Word MacIntosh) accompagné d'un résumé en français et en anglais et d'une brève note de présentation indiquant sa discipline professionnelle et ses champs d'activité. Le texte sera soumis anonymement à trois membres du comité de lecture pour arbitrage et leurs remarques seront ensuite communiquées à l'auteur.

Aux auteurs dont la langue maternelle est autre que le français, la rédaction offre un service de révision linguistique pour faciliter l'édition de leurs textes.

Adresse de la Rédaction:
Revue P.R.I.S.M.E.
Département de psychiatrie
Hôpital Sainte-Justine
3100, rue Ellendale
Montréal (Québec), H3S 1W3.

Pour toute autre information, s'adresser à Mme Denise Marchand. Tél.: (514) 345-4695 poste 5701. Télécopieur: (514) 345-4635.

FORMULAIRE D'ABONNEMENT (3 numéros) pour 1995

Les prix sont en dollars canadiens et incluent les frais de port et les taxes

Étudiant   25.00$ (avec photocopie de la carte en cours de validité)
Individu   45.00$
Institution 75.00$
Étranger   85.00$ (mandat-poste international **en devises canadiennes seulement**)

À l'unité   19.00$ (pour les numéros de 1995)
À l'unité   15.00$ (pour tous les anciens numéros - voir la liste au verso)

❏ Nouvel abonnement   ❏ Réabonnement

Nom: ....

Adresse: ....

Ville :   ....   Province: ....

Code postal: ....   Téléphone: ....

❏ Porter au compte de la carte de crédit

Visa   ....   date d'expiration ....

Master Card ....   date d'expiration ....

Signature   ....

Le chèque ou le mandat doit être fait à l'ordre de:
Hôpital Sainte-Justine.

Adresse de retour: P.R.I.S.M.E.
                      Service des publications
                      Hôpital Sainte-Justine
                      3175, côte Ste-Catherine
                      Montréal, Qué   H3T 1C5
                      tél: (514) 345-4671   fax: (514) 345-4631

LISTE DES ANCIENS NUMÉROS DE P.R.I.S.M.E.

Il vous manque un P.R.I.S.M.E. ? Le voici.
Complétez votre collection en cochant les numéros désirés.
Commandez-les dès maintenant **au prix de 15.00$ chacun**, sur le formulaire au verso.

1990-91

( ) Vol. 1 no 1 Dossier paternité
( ) Vol. 1 no 2 Approches transculturelles: communauté immigrante haïtienne
( ) Vol. 1 no 3 Le sommeil et le rêve de l'enfant
( ) Vol. 1 no 4 Les silences de l'enfant

1991-92

( ) Vol. 2 no 1 Autour de la naissance
( ) Vol. 2 no 2 L'art et l'enfant
( ) Vol. 2 no 3 Adolescence: expériences d'intervention
( ) Vol. 2 no 4 L'enfant atteint de maladie physique

1992-93

( ) Vol. 3 no 1 Abus et négligence: l'enfant, sa famille et le système
( ) Vol. 3 no 2 Le point sur l'hyperactivité
( ) Vol. 3 no 3 L'école face aux différences
( ) Vol. 3 no 4 Regard critique sur le placement des jeunes enfants

1994

( ) Vol. 4 no 1 Perspectives en recherche clinique
( ) Vol. 4 no 2/3 Rupture, répétition, réparation: enjeux thérapeutiques du pla
            cement
( ) Vol. 4 no 4 Soigner et éduquer en hôpital de jour

1995   Prochains numéros (au prix de 19.00$ chacun)

( ) Vol. 5 no 1 Approches communautaires: les temps changent... les pratiques
            aussi
( ) Vol. 5 no 2 Nouvelles réalités de la famille
( ) Vol. 5 no 3 Suicide chez les adolescents